Argraffiad cyntaf: 2012

Rhif rhyngwladol: 978-1-84527-370-5

Mae'r cyhoeddwr yn cydnabod cefnogaeth ariannol
Cyngor Llyfrau Cymru

Cynllun clawr: Rhys Huws

Cyhoeddwyd gan Wasg Carreg Gwalch,
12 Iard yr Orsaf, Llanrwst, Conwy, LL26 0EH.
Ffôn: 01492 642031 Ffacs: 01492 641502
e-bost: llyfrau@carreg-gwalch.com
lle ar y we: www.carreg-gwalch.com

Y Plismon yn y Castell

ELFYN WILLIAMS

Er cof am Helen Peris,
1993-2008
fy ngwraig am dros hanner can mlynedd.

Cyflwynir unrhyw elw o werthiant y gyfrol hon i gronfa
Cymdeithas Parkinsons

Rhagair

Efallai y bydd rhai o'm cydweithwyr yn yr heddlu yn anghydweld â'r ffaith fy mod yn ysgrifennu llyfr – yr heliwr yn troi'n botsiwr, efallai. Pob parch iddynt, ond teimlaf fod y blynyddoedd 1963-1984 yn rhai arwyddocaol iawn ym mywyd y genedl Gymreig, ac nad oes neb yn fodlon codi'r llen. Bydd y rhan fwyaf o ddigwyddiadau gwleidyddol y cyfnod yma yn ddirgelwch i'r boblogaeth. Rwyf yn cael fy ngalw, yn arbennig gan y cyfryngau, yn gyn-aelod o'r Heddlu Cudd ond byddaf yn eu cywiro bob tro: aelod o'r Gangen Arbennig oeddwn i. Ond mae'r teitl 'heddlu cudd' yn rhoi mwy o ramant a dirgelwch i'r gwaith, tydi?

Yr awdur yn bump oed

Pwy fuasai'n meddwl y byddai'r ferch benfelen ar y chwith yn rhes ganol y llun isod yn byw am hanner can mlynedd gyda'r hogyn bach sydd drydydd o'r dde yn rhes gefn y llun uchod?

Pennod 1

Elfyn Disgwylfa

Ar yr ail ar hugain o Fehefin, 1933, mewn ystafell wely yn Nisgwylfa, 49 Stryd Bangor, Y Felinheli, cefais fy ngeni; yn ail blentyn i Elsie a Walter Williams. Roeddwn yn un o bedwar o blant – Berwyn, yr hynaf, fi, Mair Gwenifer a John Nefyl, a aned wedi'r rhyfel. Enwau crand iawn ar blant tlawd – a daeth Berwyn yn Ber, fi yn Elo, Mair yn Mair G a Nefyl yn Nefs. Efallai fy mod yn rhywbeth o wyrth – pan oedd Mam yn ferch ifanc roedd yn adnabyddus fel nofwraig gref, ond un diwrnod, pan oedd yn nofio ger Moel y Don, lle'r oedd y fferi o'r Felinheli i Fôn yn glanio, bu bron iddi foddi mewn mwd. Rhaid oedd galw'r meddyg, Dr Hennessey, a oedd ar y pryd ym Mhlas Newydd rhyw dair milltir i ffwrdd. Ef achubodd ei bywyd, neu ni fuaswn i yma heddiw!

Cofi Dre oedd fy nhaid o ochr Nhad. Un o deulu'r Finegar Hill – y stryd fach honno sydd y tu ôl i Fingo'r Empire yng Nghaernarfon – oedd o, yn ddyn bach blin yn ôl pawb a oedd yn ei adnabod. Roedd Taid (William Williams, neu Wili Bach) yn un hynod o dda am drin cychod hwyliau a fo oedd yn edrych ar ôl y *Pandora,* cwch hwylio Syr Thomas Assheton Smith, Y Faenol; a ddisgrifiwyd yn y llyfr *Who's Who* fel y sgweiar mwyaf blin yn y wlad. Un diwrnod, gwelodd y sgweiar Taid yn poeri baco ar y dec a galwodd ef yn fochyn. Wrth glywed hyn, dywedodd Wili Bach wrtho am stwffio ei gwch i fyny ei dîn, ac aeth adref. Ymhen ychydig ddyddiau roedd un o weision Syr Thomas yn nrws y tŷ yn erfyn ar Taid i ddychwelyd i'w waith, ac anfonwyd cerbyd i'w gludo yn ôl i'r cwch. Rwyf wrth fy modd â'r stori yma – mae'n amlwg ei fod yn grefftwr heb ei ail!

Roedd ei wraig, Mary Elen, yn hanu o un o'r teuluoedd hynaf yn y Felinheli ac yn byw yn rhif 22, Lôn Lan Môr. Roedd yn fam i naw o blant. Cyn ymadael i fynd i'r Rhyfel Byd Cyntaf crafodd yr hogiau eu henwau ar y llechen oedd yn dal y giât: yn eu plith roedd dau W – William Manora, a ddaeth â thrydan am y tro cyntaf i'r pentref, ac ar waelod y llechan y fenga', sef Walter, fy nhad. Rhyw bymtheng mlynedd yn ôl meddyliais y buaswn yn hoffi prynu'r llechen honno, ond roedd un o berchnogion y tŷ yn y cyfamser wedi ei rhwbio'n lân – yn llythrennol, *wipe the slate clean.*

Roedd fy nhaid arall, ochr Mam o'r teulu, yn hanu o Nefyn. Dyn annwyl, tirion a thynnwr coes oedd John Roberts, ac fel *Johnny Engineer* yr oedd yn cael ei adnabod gan ei fod yn beiriannydd ar longau Stad y Faenol; yr *Elidir,* y *Velinheli* a'r *Enid.* Dywedai fod y gwaith hwnnw yn codi syched mawr arno – dyna'i esgus am ei hoffter o yfed yn nhafarn y Garddfôn. Dyma flas o ychydig o'i hiwmor. Roedd yn aml mewn trwbl gyda bois y *customs,* a gofynnodd swyddog iddo un tro: 'Be' sydd gennych o dan eich braich?' Atebodd: 'Blew. Be' s'gynnoch chi?' Cariodd fasged wellt allan o long yn Lerpwl dro arall gan ddweud mai cath oedd ynddi. Wedi i'r gath ddianc yn ôl i'r llong, llenwodd Taid y fasged â nwyddau a phasio'r swyddog drachefn gan ddweud: 'Dd'wedais i wrthoch chi gynna' mai'r gath sydd ynddi.' Mewn tafarn yn Nulyn ceisiodd ddarbwyllo'r barman mai mwnci oedd wedi dwyn rhywbeth oddi ar y cownter. Wel, weithiodd hynny ddim – roedd y mwnci wedi cael ei stwffio ers deng mlynedd!

Ceidwad porthladd oedd tad fy nain, Robert Davies – un o deulu enwog Davies Porthaethwy. Y teulu hwn fu'n rhedeg llongau o Borthaethwy, ar y cyfan, i Lerpwl gyda cherrig o'r chwareli i adeiladu siopau a thai yn y ddinas honno. Byddent hefyd yn cario nwyddau'r ffermwyr i'w gwerthu yn y marchnadoedd. Eu cartref oedd y George Hotel (ar safle'r Coleg Normal gynt), a bu i'r teulu adeiladu eglwys hardd ym Mhorthaethwy.

Fel pob pentref arall yng Nghymru, nifer o ffermydd oedd y Felinheli cyn datblygiad y pentref, ym mhlwyf Llanfair-is-gaer. Ar ochr Bangor roedd fferm y Faenol, fferm yr Halfway House, fferm y Bush (a oedd yn sefyll ar safle Capel Elim, yn union dros y ffordd i Ddisgwylfa), fferm Y Dafarn Grisiau a Tanymaes. Mae'n anodd credu bod tri chapel yn y Felinheli ers talwm, a dim ond llond dwrn o dai yn y pentreflan.

Tarddiad yr enw y Felinheli yw 'melin ddŵr hallt y môr' – cawsai'r dŵr ei ddal pan fyddai'r llanw i mewn, a'i adael allan gan droi olwynion y felin wrth lifo ymaith gyda'r trai. Ger Plas Dinorwig (cartref rheolwr y chwarel gynt, lle saif gwesty'r Palas Pinc heddiw) yr oedd yr hen felin ddŵr – wrth gwrs, nid oes olion ohoni ar ôl erbyn hyn. Yn y fan honno hefyd roedd harbwr cyntaf y pentref, sef aber afon Aberpwll. Gwerthodd Esgob Bangor yr hen felin i Stad y Faenol yn 1777.

Yn nyddiau fy ieuenctid roedd y pentref yn llawn bwrlwm a phrysurdeb – y cei yn llawn llechi a gludwyd i lawr yr inclein o chwarel Dinorwig i derfyn y lein yng Ngharreg Gwalch, Penscoins ac ymlaen i'w llwytho i'r llongau.

Yn ôl haneswyr, y chwarel hynaf yn Ninorwig oedd chwarel fawr y Fach Wen, ac mae cofnod iddi fod yno yn 1700. Yn 1772 partneriaeth o Gymry oedd yn ei rhedeg – Owen Williams, Hirbant; William Owen, Rhiwen; Edward Owen, Cae Duon; Edward Prys, Bryn Madog; Richard Owen, Bryn Derw a John Griffiths, Cae Llei. Ond yr un hen stori fu hi – y Cymry yn methu â chydweld a chydweithio gyda'i gilydd. Yn 1807 meddiannwyd Chwarel Dinorwig yn gyfan gwbl gan deulu Assheton Smith, y Faenol.

Porth Dinorwig oedd enw'r pentref bryd hynny, felly

mae'n amlwg mai porthladd i chwarel Dinorwig ydoedd. Bu llawer o ddyfalu beth oedd ystyr yr enw 'Orwig'; ac ar ddiwedd y bedwaredd ganrif ar bymtheg cynigodd rhai ysgolheigion fod y gair yn dyfod o ffurf hŷn, Orddwig, ac mai'r ystyr oedd Dinas yr Ordofigiaid, y llwyth Celtaidd a lwyddodd i wrthsefyll byddinoedd y Rhufeiniaid. Pan orchfygwyd Llywelyn ap Gruffudd yn 1282 aeth maenor Dinorwig i feddiant brenin Lloegr, a rhoddodd Edward I y faenor i Syr Gruffudd Llwyd o Dregarnedd ym Môn (gor-ŵyr Ednyfed Fychan, distain a phrif weinidog Llywelyn ap Iorwerth). Gwrthryfelodd Syr Gruffudd yn erbyn y brenin; fe'i gorchfygwyd a'i garcharu yn 1322, ac aeth Dinorwig yn ôl i'r Goron. Rhoddodd William III dir yn cynnwys y Faenol i deulu Assheton Smith – hil hollol Seisnig, a thrwyddynt hwy daeth yn eiddo i'r diweddar Syr Michael Duff a fu farw yn 1980.

Diddorol yw hanes adeiladu muriau'r Faenol gyda cherrig o chwarel galch Bryn Adda, yn union gyferbyn â Phlas Newydd ar draws y Fenai. Mae'n siŵr i chwi sylwi ar fwthyn y Nant sydd ar y briffordd lle mae'r lôn yn troi i fyny am Lanberis. Roedd y bwthyn, wrth gwrs, yno cyn y wal, ac adeiladwyd y tŷ gan deulu fferm y Bush. Gŵr o'r enw Evan Jones oedd yn byw yno, ac yn ôl y sôn roedd yn arddwr yn fferm y Faenol. Roedd ganddo gytundeb ar lafar â'r sgweier y byddai'n cael aros yn y tŷ tra byddai fyw, ac anrhydeddwyd y cytundeb gan deulu'r Faenol nes y daeth yn amser adeiladu'r wal yn 1860. Wedi trafodaethau maith, yn cynnwys cynnig tŷ newydd i Evan Jones, gwrthod symud wnaeth o a rhaid felly oedd adeiladu'r muriau o amgylch y bwthyn! Ai i gadw teulu'r Assheton-Smith i mewn, ynteu i gadw'r werin bobl allan y'i codwyd, tybed?

Adeiladwyd y ffordd bresennol yn ystod yr un cyfnod – rhedai'r hen ffordd turnpike gyntaf o Fangor i Gaernarfon y tu mewn i furiau'r Faenol, gan basio bwthyn 'Refail ger yr

Halfway House. Roedd yr hen lôn yn rhedeg dros Bont y Glyn a thrwy'r 'Raber i Siloh; deuai'r ffordd o Ddinorwig drwy Nant y Garth ac allan wrth Gapel Siloh – capel bach yr Annibynwyr sydd wedi hen ddiflannu erbyn hyn (fel hen chwarel gopr Troll Mwn oedd tu ôl i'r capel). Ar hyd yr hen ffordd hon mae rhai o dai hynaf Aberpwll – cartref fy hen, hen daid a nain, William ac Anne Williams (rhieni Mary Ellen) yn un ohonynt. Cafodd William ei eni yn Llanfairpwll, Môn, yn 1802 a bu farw fis Gorffennaf, 1873, yng Nghae Glas, Aberpwll. Un o blwyf Llanbeblig oedd Ann, felly mae gwaed Cofi Dre yn dew yn fy ngwythiennau o'r ddwy ochr, yn gymysg ag ychydig o waed Sir Fôn! Mae'r ddau wedi'u claddu wrth ymyl hen Eglwys Santes Fair ym mynwent Llanfair-is-gaer.

Cefais blentyndod braf a difyr yn y pentref, er na chefais lawer o gwmni Nhad. Yn ystod yr Ail Ryfel Byd bu'n gweithio ar longau cwmni Elder Dempster, gan hwylio o Lerpwl i'r Gold Coast (Ghana erbyn hyn). Cafodd ei long, yr *Appa,* ei tharo gan dorpido'r Almaenwyr ac nid oeddem fel teulu yn gwybod am sbel a oedd ar dir y byw ai peidio. Diolch i'r drefn, cafodd Mam delegram ymhen hir a hwyr yn dweud ei fod yn iawn; ond bu Mam fel tad a mam i ni'r plant yn ystod y cyfnod hwnnw, a dyn dieithr oedd Nhad pan ddôi adref o'r môr bob rhyw chwe mis.

Er ei bod yn gyfnod rhyfel roedd yn amser hapus, a byddem ni'r plant yn edrych ymlaen yn eiddgar tuag at y regata flynyddol. Dyna ddiwrnod pwysicaf y pentref, a glan y môr yn fwrlwm o brysurdeb ac antur. Rasio nofio, rhwyfo a rasio rhedeg ar dir sych; y polyn llithrig a hwyl y ffair – Sioe Simmons fel y'i gelwid. Deuai sinema deithiol a bandiau pres yno, o Lanrug, Llanberis a Deiniolen. Yn 1951 yr *Enid* oedd y *Flag Ship* olaf, ac wrth gwrs, Syr Michael Assheton Smith oedd y Comodôr.

Plant Disgwylfa: y diweddar Berwyn, fi, Mair a Nefyl

Er yr hwyl a gawsom, roeddem yn ymwybodol o arwyddion o'r rhyfel yn ein cymuned fach ni hyd yn oed. Cofiaf unwaith groesi'r Fenai i Foel y Don ar ôl dwyn bisgedi o dun Mam yn y gegin, a cherdded i fyny'r ffordd o Frynsiencyn i Blas Newydd lle'r oedd gwersyll i garcharorion rhyfel o'r Eidal. Y cwbl yr oeddwn eisiau ei wneud oedd cynnig y bisgedi trwy'r weiren bigog iddynt.

Roedd dwy ysgol gynradd yn y Felinheli yn y cyfnod hwnnw – Ysgol Hen (Ysgol yr Eglwys) ac Ysgol Newydd (Ysgol y Cyngor). I'r Ysgol Newydd yr aethom ni blant Disgwylfa, ond aeth fy nghyfaill Oswald Thomas i'r Hen Ysgol, er nad oedd yn Eglwyswr. Rwyf yn cofio'r prifathro cyntaf, Mr Huw Pritchard; dyn diddorol iawn a fu'n byw am rai blynyddoedd yn Awstralia. Daeth i'r ysgol un diwrnod gyda phowlen o stwnsh rwdan wedi ei flasu gyda banana, er mwyn i'r rhai ohonom ni oedd erioed wedi gweld banana gael trio'r blas.

Y diwrnod canlynol daeth swyddog o'r Adran Fwyd yng Nghaernarfon i holi'r prifathro lle'r oedd wedi prynu bananas a hithau'n amser rhyfel!

Bu'n rhaid i Mr Pritchard adael ysgol y Felinheli ar ddychweliad John Owen Diafol, fel yr oeddem ni yn ei alw, o'r Llu Awyr, lle bu'n beilot yn ystod y rhyfel. Penodwyd Mr Pritchard yn brifathro ar ysgol gynradd Mynytho, ac yn hwyr yn ei fywyd priododd â merch o Bwllheli. Treuliodd flynyddoedd olaf ei fywyd mewn cartref yn perthyn i'r Seiri Rhyddion, *Queen Elizabeth Court*, yng Nghraig-y-don, Llandudno. Roeddwn yn mynd i'w weld yn wythnosol bron a byddai yn adrodd straeon diddorol iawn wrtha' i. Dywedodd fod ei ddiweddar wraig yn ferch i'r Arolygydd Roberts, Heddlu Sir Gaernarfon, a oedd ar ddyletswydd yng ngorsaf Pwllheli yn 1936 pan ddaeth y tri llosgwr – Lewis Valentine, Saunders Lewis a D. J. Williams – yno i gyfaddef eu bod wedi cynnau tân ym Mhenyberth. Dywedodd fod yr adroddiad a gofnodai'r achlysur yn ei feddiant, ond pan fu farw Mr Pritchard ni chysylltodd Matron y cartref â mi gyda'r newyddion. Beth ddigwyddodd i'r papurau tybed?

Yn 1943 cynhaliwyd yr Eisteddfod Genedlaethol yn y County Theatre ym Mangor, a chafodd Ysgol Newydd y Felinheli'r cyfle i wneud eitem ar ymarfer corff yn y cyngerdd ysgolion. Fi oedd yn eu cyflwyno, gan ddisgrifio symudiadau'r tîm, ond nid oedd y sain ar y peiriant recordio ymlaen! Bu'n rhaid i mi fynd gyda Mam i stiwdio'r BBC ym Mangor i ailddarlledu'r cyflwyniad. Sam Jones oedd yn holi (ie, 'Babi Sam yw'r BBC'), ac wedi i ni orffen darlledu dywedodd wrth Mam bod llais da gan ei mab, ac os byddai eisiau bachgen i actio mewn drama rhyw dro, y byddai'n cysylltu â ni. Na, chlywais i ddim gair wedyn o Fangor!

Methais yr arholiad 11+ i fynd i Ysgol Friars ac, a dweud y gwir, roeddwn yn falch iawn o hynny oherwydd cefais fynd hefo fy mêt mawr John Pugh i Ysgol St Deiniol, Bangor; y

Central School; i gael addysg gyda phlant yr Hogans, y Locks a'r Murphys – maen nhw'n werth eu miliynau heddiw, yn wahanol i mi! Cofiaf yr athro cerdd, John Williams; roedd yn gerddor adnabyddus ond mewn oed mawr; yn dweud ein bod yn mynd i ddysgu cân. Yn y Friars, meddai, byddent yn dysgu'r *'Londonderry Air'*, ond *'Danny Boy'* oeddem ni hogiau caib a rhaw am ei chanu – dyma fy hoff gân hyd heddiw.

Mi wnes i'n dda yn y *Central School* – fi oedd yr hogyn gafodd y marciau uchaf yn y flwyddyn, ac felly roedd cyfle i mi symud i fyny i Friars. Roeddwn i'n edrych ymlaen at gael y cyfle, ond pan es i holi'r Prifathro, cefais wybod mai Selwyn Williams, y bachgen ddaeth yn ail i mi, fyddai'n cael mynd. Methais yn lân â deall pam, nes cael gwybod bod tad Selwyn yn yfed yn yr un clwb â'r Prifathro.

Roedd gen i dri o ffrindiau agos yn y pentref, sef John Pugh, Oswald Thomas (Os Bach), a aeth i Ysgol Friars, a Robert Arthur (Shanghai) a gafodd fynd i Ysgol Syr Hugh Owen yng Nghaernarfon. Oedd, roedd llysenw Robert Arthur yn anghyffredin a dweud y lleiaf – deilliodd o'i ddiwrnod cyntaf yn Ysgol Syr Hugh. Gofynnodd nifer o'i gyd-ddisgyblion newydd iddo o ble'r oedd o'n dod, a chan ei fod wedi blino ateb yr un cwestiwn dro ar ôl tro, dechreuodd ateb, 'O Shanghai'. Glynodd yr enw, a phan ddechreuodd ei frawd ieuengach, Glyn, yn yr un ysgol, cafodd yntau ei alw yn Shanghai Bach!

Cymeriad o flaen ei amser oedd Robert Arthur – pan fu farw hen fodryb iddo, aeth Arthur i'w thŷ a gwisgo dillad yr hen wraig cyn mynd i Benlôn, gyferbyn â Chapel Moriah, a dechrau dwrdio criw o hogiau a oedd yn loetran yno. Dyma nhw'n chwerthin am ei ben a waldiodd Arthur y llanciau gydag ambarél – roedd yr un ffunud â chymeriad Old Mother Riley ers talwm! Un noson dywyll yn y gaeaf, cymerodd Robert Arthur a minnau rai o gynfasau gwyn Mam a mynd i Nant y Garth gan guddio tu ôl i goeden – roedd chwedl fod yno ysbryd a elwid y Ladi Wen. Wedi i ni fod yn cuddio am sbel, daeth rhyw greadur heibio ar ei feic modur, a daethom ninnau allan o'i flaen o dan y cynfasau. Ni welais neb yn mynd i fyny'r Nant mor sydyn yn fy mywyd! Cafodd stori'r Ladi Wen ei hadrodd yn Neiniolen am ddiwrnodau!

Ganed Oswald Thomas yn 1932 yn rhif 4, Augusta Place, yn drydydd mab ar yr aelwyd. Roedd ei dad ar y môr, ac yno yr aeth Os Bach hefyd yn ifanc iawn. Buasai'n bosibl ysgrifennu llyfr am ei anturiaethau er iddo farw yn ifanc; yn 38 oed; o effaith cael ei losgi ar fwrdd llong. Cafodd ei gladdu ym mynwent Llanfair-is-gaer.

Roedd ganddo ddychymyg byw a doniol. Ar brynhawniau Sadwrn, roeddem yn cael mynd i'r pictiwrs yn

Cefn: Robert Arthur, Dr. John Edward Williams, Coleg Abertawe (fy nghefnder), Berwyn, fy niweddar frawd. Blaen: fi a Gareth Thomas (fy nghefnder), yn y Felinheli.

y Majestic yng Nghaernarfon neu'r Plaza ym Mangor, a smalio ein bod yn reidio ceffylau fel y Lone Ranger, Roy Rogers neu Gene Autry, cyn mynd i'r Maes i ddal y bws adref.

Un diwrnod, dyma drafod ein bod, ar ôl cyrraedd y Felin, am fynd i gae Penrallt uwchben y pentref i drio'n lwc ar reidio ceffyl o'r enw Bonso. Roedd y creadur hwnnw wedi ymddeol ar ôl blynyddoedd o waith ar fferm Penrallt – ei gefn wedi sigo fel bwa saeth. Gwelsom yr hen geffyl yn pori yn y cae, neu 'bwyta blew cae' fel y buasai Cofis Dre yn ei ddweud. Rhedodd Os Bach ato a neidio ar ei gefn, ac am rai munudau safodd yr hen geffyl yn stond. Tarodd Os yr anifail ar ei ben ôl, a charlamodd Bonso yn syth am y wal cyn stopio'n sydyn. Hedfanodd Os Bach drwy'r awyr dros ben yr hen geffyl, dros y wal ac yn syth i hen fath mawr yn llawn o ddŵr budr yr anifeiliaid. Roedd yn wlyb at ei groen, ac aeth adref. Bu'n rhaid iddo fynd yn syth i'w ystafell wely ond, yn ddiarwybod i'w fam, roedd yn gallu dianc drwy'r ffenest, ac ymunodd â gweddill y cowbois yn siop chips Mrs Wilson ar Snowdon Street (Penceunant erbyn heddiw) ychydig yn ddiweddarach.

Roedd perthynas rhyfedd rhyngom a Mary a oedd yn gweithio yn y siop sglodion. O dro i dro roeddem yn cael ein hel o'r siop, neu ein banio, am fod yn hogiau drwg, a byddem bryd hynny yn ymlwybro ar hyd y Stryd Fawr i siop Tommy. Yna, ymhen sbel, byddem yn cael ein banio ganddo yntau hefyd, felly yn ôl i siop Mary â ni, gan obeithio y byddai wedi anghofio'r rheswm dros y ban!

Cawsom ein gyrru o siop Mary un tro pan luchiodd Stanley Dderwen gap Orwig Bach i mewn i'r saim lle'r oedd y sglodion yn ffrio! Roedd ystafell fwyta yn y cefn a Mary yn codi 3d am chips a 3d am y pys – *mix* oedd hyn yn cael ei alw! Cofiaf un o'r hogiau yn torri'r plât wrth wneud triciau a'i osod yn ôl ar y bwrdd yn ddau ddarn a chewing gum yn ei ddal yn ei le. Pan ddaeth Mary i glirio'r bwrdd, dim ond un darn o'r plât gododd yn ei llaw. 'Rhen Elfyn Disgwylfa 'na eto!' meddai. Ban arall!

Rydw i yn amau nad yw'r ddwy stori ganlynol yn wir, ond roedd Os Bach yn taeru eu bod nhw, felly fe'u rhannaf gyda chi. Roedd syrcas yn dod i'r pentre yn flynyddol i Gae Station, wrth ymyl y *Church House*. Roedd y perchennog wedi dweud wrth y plismon, PC Humphries, am ddweud wrth ei blant am rwbio'u trwynau wrth gyrraedd y giât, er mwyn iddynt gael mynd i weld y syrcas am ddim. Wrth gwrs, roedd ei fab, Dafydd, wedi dweud hyn wrth y 'giang' a chafodd dyn y syrcas goblyn o sioc o ddarganfod fod gan y Cwnstabl tua deg o blant!

Y bore cyn y perfformiad, cerddodd yr holl anifeiliaid drwy'r pentref, a rhywsut, llwyddodd yr eliffant i fynd i ardd ffrynt Mrs Bo Bo Jones yn Stryd Bangor. Ffoniodd Mrs Jones yr heddlu gan ddweud bod yna fwystfil mawr yn ei gardd yn codi bresych gyda'i gynffon a'u stwffio i fyny ei ben ôl!

Yn ôl Os, roedd golwg drist iawn yn llygaid yr hen eliffant, felly cymerodd Os fisgedi o gwpwrdd y gegin a'u rhoi i'r anifail. Tair ceiniog oedd tocyn i seddi rhata'r babell y noson honno, ac roedd Os Bach yn eistedd yn un o'r rheiny. Pan ddaeth yr eliffant heibio a'i weld yno, dyma fo yn codi fy nghyfaill i fyny gyda'i drwnc a'i osod yn y seddi chwe cheiniog. Felly, tydi eliffant byth yn anghofio!

Dychmygol ydi'r stori nesaf hefyd, mae'n siŵr, ond byddai Os wrth ei fodd yn ei hadrodd. Ar ddiwrnod regata'r Felinheli un tro, cyrhaeddodd bws Seindorf Porthaethwy faes parcio'r Halfway House. Roedd eu drymiwr yn sâl, ac felly gofynnodd yr arweinydd i'r gynulleidfa a fuasai rhywun yn hoffi ymuno â'r band i chwarae'r drwm. Wrth gwrs, cynigiodd Os Bach ei wasanaeth – ond roedd y cap a'r drwm yn rhy fawr iddo. Cychwynnodd y band eu prosesiwn ar hyd

Stryd Bangor i gyfeiriad Caernarfon ac wrth gyrraedd Capel Moriah trodd y seindorf i'r dde, i lawr Snowdon Street, ond dyma Os Bach yn dal i fynd o dan bont y rheilffordd. Roedd y drwm yn rhy fawr iddo weld yn ei flaen, a'r het dros ei lygaid! Ar ôl rhyw gan llath sylweddolodd ei fod ar ei ben ei hun, a bu'n rhaid iddo droi rownd a rhedeg ar ôl y band.

Roedd gan fy nhad chwaer – hen ferch o'r enw Grace, a hi yn ôl pob sôn oedd dafad ddu'r teulu. Arferai chwarae'r emynau ar y piano yn y Garddfôn – y dafarn y drws nesaf i'w chartref; Gwelfor, Beach Road. Roedd gan fy mam hen soffa frown tywyll, ac roeddem yn mynd i gael un newydd yn ei lle. Gofynnodd Auntie Grace a fuasai yn cael yr hen un, a gofynnwyd i Os Bach a minnau ei danfon i lan y môr.

Un bob pen, cychwynnodd y ddau ohonom ar hyd Stryd Bangor. Ar ben Snowdon Street, sy'n allt serth, rhywsut neu'i gilydd collais fy ngafael ar y soffa, a gwelwn hi'n llithro'n gynt ac yn gynt oddi wrthyf. Neidiodd Os arni, a hithau'n dal i gyflymu. Roedd y llanw i mewn ac yn uchel ar y pryd, a phlymiodd y soffa yn syth i mewn i'r dŵr ac Os Bach yn eistedd arni yn canu, 'Chwythodd y gwynt ni i'r Eil o' Man a dyna lle ro'n i'n crio!' Ond mi wyddwn ei fod o wedi dychryn yn ofnadwy.

Roedd blaenor yng Nghapel Elim, John Williams, Hendre; brawd i O. T. Williams, rheolwr Chwarel Dinorwig; yn ofalwr ar yr iard lo ar y cei, ac yn aml ar ôl pob gwasanaeth roedd yn gorffen trwy ddweud 'Does 'na ddim hogiau drwg yn y Felinheli, dim ond hogiau direidus.' Chwarae teg iddo.

Roedd Os, John a Robat Arthur yn mynychu Capel Elim dros y ffordd i Ddisgwylfa, ac o dro i dro roeddwn yn cael gwahoddiad i fynd hefo nhw i'r cwt bach wrth ochr yr organ, er mai aelod yn Moriah oeddwn i. Ar rota oedd y tri i chwythu'r pwmp i gynnal yr organ – esgus da i boenydio'r organydd, Mr Chambers Jones. Roedd llinyn â phlwm arno i ddynodi faint o wynt oedd yn yr offeryn a rhaid oedd cadw lefel y plwm uwchben marc arbennig ar y wal. Os gadawn i'r plwm fynd yn isel âi'r organ allan o diwn a byddai'r organydd yn cicio'r wal gan feddwl ein bod wedi cysgu! Cofiaf John Pugh yn tanio smôc un Sul a chwythu'r mwg rhwng y planciau ar y llawr, nes yr ymddangosodd yn gymylau yn y Capel – sôn am banic!

Un arall o'm ffrindiau oedd Alun Bach. Cafodd ei eni ar ddydd San Steffan, 1932, yn Augusta Place, y Felinheli, yn drydydd plentyn i'r diweddar Tudur ac Alice Jones. Cafodd ei addysg yn Ysgol Sir Caernarfon cyn mynd i ganolfan hyfforddi morwyr yn Aberdyfi, ac yna i'r môr gyda chwmni *Blue Funnel*. Wedi hynny, ymaelododd â Chatrawd Gymreig y fyddin a bu'n dysgu ymarfer corff yno gan esgyn i safle rhingyll. Aeth wedyn i'r heddlu ym Malaya fel arolygwr. Ar ôl cyfnod yng Ngholeg Harlech aeth i Goleg Economeg Llundain. Graddiodd yno a chyfarfod ei wraig, Vicky, geneth o Efrog Newydd. Ar ôl priodi cafodd radd doethuriaeth mewn athroniaeth o Goleg Yale cyn mynd yn ôl i Malaya i fod yn rheolwr gorsaf buro olew gyda Mobil Oil. Symudodd y teulu i fyw i Sarasota yn Fflorida, a dechreuodd glwb criced ymysg Prydeinwyr yno. Ar un o'r ymweliadau i'r Amerig gyda'm teulu aethom i ymweld ag ef – ag yntau o dan hiraeth trwm gofynnodd i'm merch fach ganu 'Myfanwy' gydag ef. Roedd dagrau yn llifo i lawr ei ruddiau. Ew, mae'r hiraeth am adre a Chymru yn deimlad difrifol iawn. Cynhaliwyd angladd Alun, neu'r Doctor Edward Alun Jones ddydd Gwener, 17 Hydref 2003. Claddwyd ei lwch ar 6ed Ebrill, 2004 ym medd ei rieni ym mynwent Llanfair-is-gaer, ac anrhydedd i mi oedd cael talu teyrnged iddo yn y gwasanaeth am ei fod yn gymaint o gawr ac yn caru ei genedl mor angerddol. Rhaid oedd sôn am 'Alun Mabon, mwy nid yw. Ond mae'r heniaith yn y tir a'r alawon hen yn fyw', a phennill W. J. Gruffydd: 'Yn ôl i'r Felinheli, rwy'n mynd, co' bach, ho ho yn morio am 'y mywyd, saith mis o Callao.' Ar ei garreg fedd mae'r geiriau 'Magwyd fi ar ei bron, ces fy siglo yn ei chrud.' Ar ddiwedd y gwasanaeth roedd yr organydd yn chwarae'r dôn 'Myfanwy'. Ie, roedd yn hawdd mynd ag Alun o Gymru, ond roedd Cymru yn ddwfn yn Alun.

Roedd bywyd yn y Felin yn hapus a difyr, a digon o gymdeithasau yn y capel a'r Neuadd Goffa i'n cadw ni'n ddiddig. Pan oeddwn ryw dair ar ddeg oed cefais swydd trysorydd Cymdeithas Lenyddol Capel Moriah ac un noson, ar ôl i'r bardd enwog William Morris o Gaernarfon orffen ei ddarlith, es ymlaen a chynnig costau o £1 iddo. Edrychodd ar y bunt a dweud ei fod yn haeddu dwy! Wel, cefais fy siomi.

Roedd Clwb y Fenai yn llewyrchus iawn, a digon o weithgareddau yn cael eu trefnu ar ein cyfer ni'r rhai ifanc. Byddem yn chwarae badminton ar nos Lun, ond nos Wener oedd prif noson gyfarfod y Clwb. Ar ddechrau pob cyfarfod roeddem yn canu'r emyn 'Arwelfa'; 'Arglwydd gad im dawel orffwys'. Rydw i'n siŵr na fyddai ieuenctid heddiw yn gwneud y fath beth.

Bob blwyddyn trefnid dwy orymdaith ar gyfer aelodau'r Clwb; un i ben yr Wyddfa i weld yr haul yn codi yn yr hydref a'r ail i ben Tŵr Marcwis yn Llanfair PG, gan gerdded yno, wrth gwrs, o fferi Moel y Don a cherdded adref dros Bont Menai. Byddai dawnsfeydd bob Nadolig (lle bu i mi gyfarfod geneth benfelen, arbennig o Ddeiniolen yn 1952, a'i phriodi yn 1957), ond nos Galan oedd uchafbwynt y flwyddyn pan fyddem yn cerdded i Benrhosgarnedd i'r Clwb Ieuenctid yno i groesawu'r flwyddyn newydd.

Roedd yn y Felinheli gwmni drama llewyrchus a gawsai ei hyfforddi gan J. T. Edwards, Kenfig; tad Meirion Edwards a ddaeth yn ddiweddarach yn bennaeth y BBC yng Nghaerdydd. Dyn llym iawn oedd Edwards, Kenfig, a weithiai yn adran y *Weights and Measures* yn y Cyngor Sir yng Nghaernarfon. Roedd Mam yng ngofal y setiau llwyfan, a chafodd un o'n cathod ni ei henwi ar ôl cath Will Mossop yn y ddrama *Hobson's Choice*. A phwy oedd yn cymryd rhan yr hen Will Mossop? Neb llai na'r diweddar Richard Hughes, y 'Co' Bach' ei hun, a oedd yn rheolwr siop y Co-op yn Stryd Bangor, gyferbyn â Disgwylfa.

Cefais innau chwarae rhan y plismon yn y ddrama *Pobl yr Ymylon* – Mr Edwards ei hun oedd yn chwarae'r brif ran, sef y tramp-bregethwr, Malachi Jones. Wel ie, byddai hynny wedi bod yn ddechrau da i'm gyrfa fel plismon drama, ond cyn llwyfannu'r ddrama cefais fy ngalw i wneud fy nghyfnod o wasanaeth milwrol yn y Fyddin am ddwy flynedd. Nid oes wybod felly a fuaswn wedi gallu gwneud gyrfa o actio.

Roedd Mam yn hoffi rhoi enwau anarferol ar ein cathod ac fe alwodd yn un Joseph – ar ôl Joseph Edwin a oedd yn ein dysgu ni i ganu! Dyn bach tew, ychydig yn ferchetaidd, oedd Joseph Edwin; a phan oedd yn chwarae'r piano taflai ei ddwylo i fyny i'r awyr fel Liberace. Clerc yn yr orsaf reilffordd oedd o wrth ei alwedigaeth, ac wedi priodi yn hwyr yn ei fywyd. Roedd yn byw yn Terfyn Terrace, tai go fawr a gafodd eu hadeiladu yn wreiddiol ar gyfer capteiniaid llongau, gyferbyn â'r Cloc Coffa. Roedd ganddo *grand piano* yn yr ystafell ffrynt ond pan oeddwn yn disgwyl fy nhro i ganu, byddai'n rhaid i mi fynd i eistedd yn yr ystafell gefn. Roedd ganddo ardd yn llawn o goed afalau a gellyg, gyda wal gerrig uchel ar un ochr,

Mam

felly byddwn yn edrych yn ofalus drwy'r ffenestr gefn i weld pa goed oedd â'r mwyaf o ellyg arnynt. Wedyn, gyda'r nos, byddai Os Bach, John Pugh a minnau yn dringo'r wal yn y man perthnasol a chael 'benthyg' rhai o'r ffrwythau! Wel roedd blas da arnynt – fel y dywed y Sais: '*a stolen apple is best*'.

Aeth yr hen Joseph (y gath) i edrych yn reit giami ar un adeg – roedd golwg ofnadwy arni, yn grachod i gyd – a rhoddodd Mam chwe cheiniog i Os a minnau i'w rhoi mewn sach. Mae'n debyg nad oedd yn methu fforddio talu i filfeddyg. Felly i'r Cei Mawr â ni a chynnal gwasanaeth byr – ac Os Bach yn dweud y buasai ei frawd Willie, a oedd yn mynd yn weinidog, wedi gallu rhoi gweddi fach dros yr hen Joseph. Ar ôl gweddi daeth yr Amen, ac i'r dŵr â hi. Teimlwn drueni mawr dros yr hen gath; ond pan gyrhaeddais gartref pwy oedd ar ben y wal yn mewian ond yr hen Joseph! Yn anffodus, rhaid oedd rhoi'r chwe cheiniog yn ôl i Mam.

Byddwn yn canu deuawd gydag Elizabeth Humphries, merch y plismon lleol, ac aethom ein dau i eisteddfod Rhiwlas un tro. Roeddwn wedi gorfod gwisgo i fyny fel hen ŵr gyda top hat ar fy mhen i ganu 'Ble rwyt ti'n myned fy ngeneth ffein gu...' – ond ar ganol y gân torrodd fy llais, a chwarddodd y gynulleidfa i gyd ar fy mhen. Er na wyddwn hynny ar y pryd, roedd y ferch y byddwn yn ei phriodi, Helen, yn bresennol y noson honno ac yn cofio'r achlysur yn iawn – ac yn cydymdeimlo â'r bachgen bach yn y top hat. Na, ni chawsom wobr y noson honno, a dyna ddiwedd ar fy ngyrfa fel canwr. Wedi'r siom a'r cywilydd, rhaid oedd cerdded yn ôl adref yr holl ffordd o Riwlas adref i'r Felinheli.

Yn 1945 pan fu farw Lloyd George, roedd Robert Arthur yn awyddus i mi fynd gydag ef i'r angladd yn Llanystumdwy, er mwyn cael golwg ar y Brenin a'r Frenhines – ond wrth gwrs yr oedd yn rhy beryglus iddynt ddod yno. Robert Arthur gyneuodd y diddordeb ynof mewn gwleidyddiaeth a'm hysbrydoli i ymuno â'r Blaid Genedlaethol – y 'Blaid Bach' fel yr oedd yn cael ei galw'r adeg honno, neu'r Welsh Nashis. Roedd teulu Disgwylfa i gyd yn bleidiol ac yn canfasio yn frwd i'r Athro J. Daniel, Ambrose Bebb a J. E. Jones. Cefais lythyr gan J. E. yn diolch i mi am gasglu £4.2.8 i gronfa'r Blaid – swm go lew'r amser hynny i hogyn pedair ar ddeg oed. Dysgodd yr hen Arthur fi sut i werthfawrogi bywyd moethus – megis sipian Drambuie yn araf yn y cocktail bar yn y Castle Hotel, Bangor; mynd i gyngherddau mawreddog ac yn y blaen; ond diwedd unig iawn a gafodd. Ddeng mlynedd ar hugain yn ddiweddarach, bu'n rhaid torri i mewn i'w fflat yn Llundain lle canfuwyd ei gorff. Roedd wedi marw ers cryn amser. Darganfuwyd darn o bapur yno a'r enw Coetmor, Llanfair-is-gaer arno. Neb yn yr Heddlu â'r syniad lleiaf lle'r oedd am amser hir, ond dyma heddwas o Gymro yn cofio mai enw plwy oedd Llanfair-is-gaer, ac roedd fferm ym Mangor o'r enw Coetmor – cartref mam Robert Arthur – ac felly daeth ei fam a'i chwaer, Margaret Tuzuner (sydd yn dal i fyw yng nghartref y teulu yn Stryd Bangor) i wybod am ei farwolaeth yn 1986 ac yntau yn ddim ond 57 oed ac yn ddibriod.

Roeddem ni'r bechgyn yn chwarae oriau o griced ar y Beach, lle mae tai'r Marina heddiw: fan hon oedd ein Lords neu'n Oval ni. Roedd llawer o drigolion y Felin yn hoffi mynd drosodd i Sir Fôn yn yr haf, gan deithio ar y fferi i Foel y Don i gael picnic a thorheulo. Mae cofnodion y fferi yn mynd yn ôl i 1296 pan groesodd pererindod Babyddol ynddi ar ei ffordd o'r priordy ym Metws Garmon i'r Iwerddon. Yn 1920 Capten Lilly, cymydog i fy rhieni, oedd yn rhedeg y gwasanaeth, ond mae'r fferi wedi peidio â bod ers blynyddoedd bellach.

Un diwrnod roeddwn yn nofio yn y Fenai ger Moel y

Don gyda chyfaill, Tom Moi (Thomas Morris, Benllech erbyn hyn). Roedd Tom, mab plismon y cei, yn nofiwr cryf, ac yng nghanol yr afon penderfynodd barhau i'r ochr arall. Bryd hynny, roedd nofio'r holl ffordd, heb gwch gerllaw i roi cymorth pe byddai angen, yn weithred a ddynodai fod bachgen yn tyfu'n ddyn. Nid oeddwn wedi nofio mor bell o'r blaen! Roedd y llif yn ein cario am Dinas, ochr Caernarfon i'r pentref, ac ar ôl cyrraedd y lan, roedd fy nillad ar ôl yn Sir Fôn. Dywedodd Tom Moi y nofiai yn ôl a dod â'r dillad ar y fferi. Cerddais yn wlyb domen ar hyd glan y môr i dŷ Auntie Grace, chwaer Nhad, y drws nesa i'r Garddfôn i ofyn am dywel, oherwydd erbyn hynny roeddwn yn crynu fel deilen.

Roedd llu o gymeriadau hoffus a digri yn byw yn y Felinheli. Un ohonynt oedd Robin Sunset. Edrych ar ôl y swings oedd Robin ac roedd y lle'n agored o ben bore tan fachlud haul. Un arall oedd Wil Ishi Nofings. Roedd llawer o gapteiniaid y llongau yn Saeson, a chafodd Wil ei lysenw drwy geisio gwneud argraff ar un o'r capteiniaid a fyddai'n ymweld â'r Felin – Capten Lilly o Tynsley. Pwysodd ar ochr un o'r llongau rhyw ddiwrnod, a holi pryd yr oedd hi am hwylio: 'Ishi Nofings Captain?'. Un arall o'i ddywediadau oedd: *'I'll put the pole round the rope, Captain'*.

Cymeriad arall oedd John Owen Roberts, a redai boni a thrap o'r orsaf reilffordd i fynd ag ymwelwyr o amgylch y wlad. Dywedodd un o'r fisitors wrtho un tro: *'What a beautiful sunset'*. *'Yes,'* meddai, *'Not bad for a small place'*.

Yn ei lyfr *An Audience with an Elephant and Other Encounters on the Eccentric Side,* mae Byron Rogers yn sôn am un o grwydriaid ola'r tir, gŵr o'r enw George Gibbs. Ganed yr hen George yn 1917, ac ar ôl colli ei dad ar y môr yn y Rhyfel Byd Cyntaf, aeth yntau i'r môr fel cogydd. Gadawodd yn dilyn helynt gyda'i nerfau, gan ddweud wrth ei fam ei fod yn mynd i chwilio am waith. Ni welwyd ef wedyn yng Nglasgow, ei dref enedigol, oherwydd daeth i

Gymru a dechrau cerdded lonydd y wlad. Ag yntau mewn oed, roedd yn cysgu mewn cwt yng ngorsaf reilffordd Llanbedr, cwt yr oedd yr awdurdodau eisiau ei ddymchwel, felly cafodd George dŷ cyngor ac yno y bu farw yn 1958. Roedd o eisiau byw, crwydro a marw yng Nghymru.

Rwyf yn digwydd cofio George yn dod i'r Felinheli ar ei deithiau – bob amser ym misoedd braf yr haf (er, rwy'n siŵr fod pob haf mewn atgof plentyn yn heulog ac yn boeth) ac ymweld â siop brawd fy nain; siop o'r enw Tŷ Bangor yn Stryd Bangor nad oedd yn gwerthu dim ond bara a the. Roedd arwydd yn y ffenestr, cylch gwyn ac arno groes las, os cofia' i'n iawn; arwydd ydoedd fod yn rhaid i'r siopwr roi hanner torth a rhywfaint o de i bob crwydryn, fel George, a alwai yn y pentref. Byddai wedyn yn cael ei arian yn ôl gan y Cyngor Plwyf.

Tîm pêl-droed y Boys' Club, Caernarfon. Roedd y tîm yma'n ennill pob gêm yn y cylch. Y capten yn y canol yw Ernie Wally ac mae Bobby Haines yn eistedd ar y chwith yn y blaen. Fi yw'r trydydd o'r dde yn y cefn. Aeth Ernie i chwarae gyda Tottenham a gorffen ei yrfa fel rheolwr tîm Watford.

Pennod 2

Y Pum Degau Cynnar

Rydw i yn y cefn ar y chwith - nid oeddwn yn chwarae'r diwrnod hwnnw gan fy mod wedi cael anaf!

Roeddwn yn dipyn o bêl-droediwr pan oeddwn yn llanc – yn chwarae i dîm yr ysgol ar foreau Sadwrn a chwarae i Fethesda, Tal-y-sarn ac i dîm y diweddar Orig Williams, Nantlle Vale, yn y prynhawn. Cefais chwarae unwaith ar faes yr hen Barc Ninian mewn gêm dreial rhwng timoedd y gogledd a'r de o'r ATC, yr *Air Training Cadets.* Cefais fy newis ar brawf i chwarae i Gymru a cholli i Loegr o bum gôl i un ar gae dinas Caerwrangon – ond o leiaf mi ges i gap rhyngwladol! Bûm yn chwarae am gyfnod i dîm y Bechgyn, Caernarfon, pan oedd ein rheolwr, John Roberts, yn sgowt i dîm Tottenham Hotspur. Rhoddodd ffurflen i mi fynd adref i Nhad, oherwydd roedd yn meddwl mynd â nifer ohonom yno ar brawf, ond gwrthododd fy nhad arwyddo. Aeth Ernie

Wally, capten y tîm, am ei dreial, a chafodd yrfa lwyddiannus yn y byd pêl-droed gan orffen fel hyfforddwr Watford County!

Yn ystod y cyfnod hwn roeddwn yn aelod o'r ATC (Hyfforddiant Awyrlu i Gadlanciau) – rhywbeth a greodd ddryswch mewnol ynof gan fy mod hefyd wedi ymaelodi â Phlaid Cymru. Cefais wahoddiad i ymuno â'r ATC gan ddyn oedd yn byw dros y ffordd i mi, A.V. Williams – fo oedd yn rhedeg y Cadets. Bechgyn rhwng 16 a 18 oed oedd y Cadets (roedd disgwyl i ni wedyn ymddiswyddo ac ymaelodi'n syth â'r Awyrlu) a gwisgem iwnifform las swyddogol. Dysgu martsio oeddem ni yn y cyfarfodydd, yn ogystal â chael darlithoedd am y RAF; ac wrth gwrs, roedd yn rhaid saliwtio baner Jac yr Undeb.

Cefais fy ngwneud yn Gorporal yn syth, a'm dyrchafu yn Sarjant ymhen blwyddyn, teitl sydd wedi fy nilyn i drwy f'oes. Un o'm dyletswyddau yno oedd dysgu'r cadéts newydd sut i fartsio. Roedd John Pugh yno efo fi, ond wnâi Os Bach ddim ymuno, gan ei fod yn dipyn o rebal. Profiad newydd, cyffrous oedd gadael cartref am bythefnos ym mis Awst i fynd i wersylloedd yr Awyrlu yn y Fali a Sain Tathan am hyfforddiant pellach a blas ar fywyd yn yr Awyrlu; ond cefais y wefr fwyaf un pan oeddwn yn aros yng ngwersyll Cosford, ger Wolverhampton. Roedd y tywydd yn braf ac ar y rhedegfa roedd tair *Tiger Moth*. Bu'n rhaid i ni ddisgwyl ein tro i fynd i mewn i'r awyren, a chael eistedd yn y blaen a'r peilot yn y cefn. Rhoddais gap lledr ar fy mhen a dywedodd y peilot wrthyf am roi'r 'switch' ymlaen, ond wnes i ddim clywed y gorchymyn. Gofynnodd wedyn trwy'r radio a oeddwn yn fodlon ei fod yn rhoi'r peiriant a'i ben i lawr ac mewn *loop*! Ia, ia, meddwn yn ddifeddwl, heb glywed y cwestiwn yn iawn. Wel, dyma gychwyn, ac ymhen eiliadau roeddwn yn gweld y tir uwch fy mhen a'r awyr las rhwng fy nghoesau; rownd a rownd â ni. Roedd y cyfan drosodd mewn rhyw bum munud, ond roedd yn teimlo fel awr i mi! Na, doeddwn i ddim yn sâl, ond wnes i ddim disgwyl reid debyg i honno! Yn ddiweddarach, roeddwn yn falch – cefais ddweud fy mod wedi hedfan mewn *Tiger Moth* â'i phen i lawr, er mai ond am ryw dri munud oedd hynny.

Gadewais yr ysgol yn 1947 yn un ar bymtheg heb gymwysterau addysgol a dechrau gweithio fel clerc yn stordy iard Dickie's, Bangor. Doeddwn i ddim yn hoff iawn o'r gwaith, ac wedi chwe mis yno, cefais gynnig gwaith mewn labordy deintyddol fel prentis technegydd. Roedd mam Robert Arfon Williams, perchennog y labordy yn Stryd Bangor, y Felinheli, yn byw'r drws nesaf ond un i Ddisgwylfa, a dyna sut y cefais y cyfle. Roedd Mam yn awyddus iawn i mi fynd yno – roedd bwrw prentisiaeth yn beth pwysig iawn y dyddiau hynny.

Treuliais bum mlynedd yn bwrw 'mhrentisiaeth fel technegydd deintyddol yn labordy Robert Arfon, yn gwneud platiau plastic neu rwber o argraff yr oedd deintydd wedi ei wneud o ddannedd claf, er mwyn gwneud dannedd gosod. Gan fod dannedd gosod am ddim pan ddechreuais weithio yno, roedd y labordy'n brysur iawn, ond buan y newidiodd hynny; a bu i'r labordy gau rai blynyddoedd yn ddiweddarach, tra'r oeddwn yn y Lluoedd Arfog. Hyd heddiw, y peth cyntaf rwyf yn sylwi arnynt wrth gyfarfod rhywun am y tro cyntaf yw ei ddannedd!

Roeddwn yn dal i fod yn canfasio ar ran y Blaid. Wrth gwrs, roeddem yn cael ein gwawdio gan y Torïaid a'r Blaid Lafur yn lleol, a'n galw'n *Welsh Nash* a hyd yn oed *Nazi*, ond roedd llawer o hwyl i'w gael yn ystod cyfnod yr etholiadau. Ar un adeg, roedd sôn fy mod yn cael fy amau o beintio sloganau megis 'Cymru Rydd' ar waliau'r Faenol. Roedd tad Robert Arthur yn paentio tai yn y pentre – oedden nhw'n meddwl tybed mai ganddo fo y cawsom y paent?

Ar y pryd, roedd ymgyrch ar droed i gael Senedd i Gymru. Teulu Plaid Cymru oeddem ni deulu Disgwylfa, a chyda cyfaill annwyl iawn i mi – Gwyrfai Jones, brodor o Rosgadfan a fferyllydd yn Stryd Bangor, y Felinheli; euthum o ddrws i ddrws i gasglu enwau ar y ddeiseb. Mewn tŷ gyferbyn â ffatri Fferodo ar ffin plwyf Llanfair-is-gaer, daeth morwyn i'r drws a chlywsom berchennog y tŷ yn galw o'r ystafell gefn i holi pwy oedd yno. Cawsom fynd i mewn, a phwy welsom yn eistedd mewn cornel yn 'smygu pibell ond yr Athro W. J. Gruffydd. Cyn arwyddo, gofynnodd i Gwyrfai pam y dylai roi ei lofnod ar y ddeiseb. Atebodd Gwyrfai, 'Pe buasech wedi dweud wrthyf ddeng mlynedd yn ôl, y byddwn heddiw yn rhedeg siop fferyllydd, gyda gwraig a phedair o ferched, faswn i ddim yn eich credu'. 'Ateb da,' meddai, ac arwyddo'r ddeiseb. Wrth gwrs, bu'n rhaid aros hanner canrif am y Senedd.

Yn 1951 roedd yr Eisteddfod Genedlaethol yn Llanrwst ac ar ddydd Llun yr Ŵyl, galwodd cefnder i mi o Lerpwl o'r enw Gwili (Gwilym Williams) yn Nisgwylfa. Roedd wedi bod yn yr Eisteddfod yn tynnu brasluniau doniol o'r orsedd i'r *Liverpool Echo*. Rhoddodd fathodyn swyddogol 'Y Wasg' ar y bwrdd – mae'n rhaid nad oedd o mo'i angen o wedyn – a gofyn a oedd rhywun eisiau ei ddefnyddio. Roedd gwyliau'n ddyledus i mi o'r labordy deintyddol, a'r dydd Iau canlynol, felly, i ffwrdd â mi i Lanrwst gyda'r trên. Dangosais y bathodyn i'r swyddogion priodol ac eistedd ymysg aelodau'r wasg o flaen y llwyfan. Rydw i'n siŵr bod ambell aelod arall o'r Wasg wedi fy amau wrth i mi eistedd yn eu plith, ond ddwedodd neb ddim. Ar ôl i'r Orsedd orffen eu dyletswyddau, gofynnwyd i mi a fuaswn yn fodlon rhoi help llaw i gario gŵr bach a oedd mewn cadair olwyn i lawr o'r llwyfan. Gwnes hynny â phleser, ac ar ôl cael y dyn, oedd â sbectol fechan ar ei drwyn, yn ddiogel i'r llawr, dyma un o aelodau'r wasg yn dweud wrthyf: 'Ymhen blynyddoedd, cei ddweud wrth dy wyrion dy fod wedi cario Elfed yr emynydd.' Ddwy flynedd yn ddiweddarach, bu Elfed farw.

Y nos Wener cyn y Nadolig, 1952, roedd gan Glwb y Fenai ddawns yn y Neuadd Goffa, ac roedd bws o ddawnswyr o Ddeiniolen wedi ymuno â ni. Roedd Mrs Morris Jones o Gaernarfon wedi bod yn ein dysgu i ddawnsio mewn timau – roeddwn i'n dawnsio'r *Blue Tango* efo Nansi Hughes – a byddem yn aml yn mynd o amgylch clybiau ieuenctid mewn pentrefi eraill i ddangos ein doniau. Un noson buom yn dawnsio yn ystod rhan gyntaf y noson, ac wedi'r egwyl, yn rhoi arddangosfa focsio! Roedd John Pugh yn rhan o'r tîm dawnsio hefyd – ond tynnu ein coesau am wneud fyddai Os Bach.

Yn y ddawns y noson honno, edrychais ar draws y neuadd a gweld geneth benfelen yn sefyll yno. Daeth cân Rodgers a Hammerstein, '*Some Enchanted Evening*' i'm cof – a'r geiriau, '*once you have found her never let her go...*' Helen Peris oedd ei henw, geneth annwyl, gariadus ac anfarwol, a oedd yn fyfyrwraig yng Ngholeg y Santes Fair, Bangor. Naddo, wnes i ddim ei gadael, a dechreuom ganlyn yn selog.

Yn y pum degau cynnar daeth cymeriad reit wahanol i fyw dros y ffordd i Ddisgwylfa – myfyriwr o'r enw Peter Rhyswil Lewis a ddaeth i Goleg Prifysgol Bangor trwy Goleg Harlech. Brodor o Ben-y-bont ar Ogwr oedd o; roedd ei rieni yn byw yn Wolverhampton ar ôl treulio cyfnod yn India fel cenhadon. Daeth yn ymwelydd cyson â'n tŷ ni, a Mam bob amser yn gwneud bwyd iddo. Roedd yn aelod o'r Blaid Genedlaethol, ond roedd ganddo syniadau a ymddangosai ychydig yn eithafol i ni. Teimlai, ynghyd â phobl fel Harri Webb, fod Plaid Cymru yn rhy ddiniwed ac yn gwrthod bod yn weithredol dros yr achos. Cofiaf fynd yn ei gwmni i gyfarfod protest yn Nant Gwynant yn ystod y cyfnod pan geisiodd Llywodraeth Lloegr foddi'r cwm, a Bob Owen, Croesor, yn siarad yno.

Dychmygwch y sioc a gawsom, ar ôl iddo symud i fyw i Fangor Uchaf, pan gafodd ei arestio gan yr Heddlu am fod â thipyn go lew o *gelignite* yn ei feddiant, wedi ei guddio o dan y gwely. Yn ddiniwed, ac fel ffrind, es i orsaf yr Heddlu ym Mangor i holi a oedd o eisiau rhywbeth fel sigaréts neu bapur newydd. Ni chefais ei weld, ond cymerodd y Rhingyll fy enw a'm cyfeiriad. Roeddwn wedi dychryn a rhedais i fyny'r allt i neuaddau preswyl Coleg y Santes Fair lle'r oedd fy nghariad, Helen Peris, ar gwrs dysgu. Bu'n rhaid i mi luchio cerrig mân ar y ffenestr i gael ei sylw, ac adroddais beth oedd wedi digwydd. Oeddwn, roeddwn wedi cael braw. Cafodd Peter Rhyswil Lewis garchar am naw mis os cofia' i'n iawn.

Deuthum yn ffrindiau da gyda bachgen o'r enw Lewis a oedd yn enedigol o Drefor, ond a oedd wedi symud i'r Felin. Roedd ei dad yn ffermio tir ar lethrau'r Eifl pan ddisgynnodd yn farw ar y mynydd, a daeth y teulu i fyw i Ffordd Caernarfon, y Felinheli. Yn y pum degau cynnar aeth Lewis i'r Brifysgol ym Mangor a graddiodd yn y Gymraeg. Cefais fynd gydag ef sawl gwaith i gyfarfodydd Cymdeithas y Myfyrwyr Cymraeg, gan gyfarfod â'i gyd-fyfyrwyr a darlithwyr yr Adran Gymraeg. Un noson, roedd o eisiau galw yn rhif 38 Ffordd y Coleg cyn cychwyn am adref. Cawsom wahoddiad i mewn ac yno roedd dyn oedrannus a chanddo ben moel; gŵr dymunol iawn. Gofynnodd a oeddwn yn fyfyriwr yn y Coleg. Na, meddwn, gan ymhelaethu mai gwneud dannedd gosod oedd fy ngwaith i. Daeth gwên annwyl i'w wyneb. 'Wel,' meddai, 'nid oes rhaid mynd i'r coleg i ddysgu cynganeddu.' Roedd Lewis eisiau trafod rhyw broblem gydag ef. Ar ar y ffordd allan, wedi ffarwelio â'r dyn hawddgar, dywedodd Lewis wrthyf mai

David Thomas oedd y cawr yr oeddwn newydd ei gyfarfod. Ychydig fisoedd wedyn prynais ei lyfr *Y Cynganeddion Cymreig*. Roedd David Thomas yn daid i'r awdures Angharad Tomos – mae'n siŵr bod ein llwybrau wedi croesi mewn ambell rali Cymdeithas yr Iaith yn y saith degau a'r wyth degau!

Ar ôl graddio, aeth Lewis i ddysgu gan orffen ei yrfa fel Pennaeth yr Adran Gymraeg yn Ysgol Dyffryn Nantlle. Ar achlysur ei ymddeoliad, ysgrifennodd ym mhapur yr ysgol: 'Fydd yna ddim Lol yn Ysgol Dyffryn Nantlle'r tymor nesaf'. Ia, Lewis Owen Lewis oedd ei enw llawn!

Tîm pêl-droed Cenedlaethol ATC Cymru. Fi yw'r trydydd o'r dde yn y cefn.

Pennod 3

Cyprus ac Anturiaethau Eraill 1954-6

Yn 1954 cefais yr alwad i wasanaethu yn y Fyddin Brydeinig a phenderfynu, ar ddiwrnod o Awst ar ochr mynydd yn Llanfairfechan, gofyn i Helen fy mhriodi. Roedd yn ddiwrnod melys fydd yn aros yn y cof am byth.

Wedi i mi dderbyn y llythyr swyddogol yn fy ngalw i'r fyddin, roeddwn yn rhyw feddwl i ddechrau y buaswn yn sefyll fel gwrthwynebydd ar sail crefydd – roedd gweinidog ifanc yng Nghwm-y-glo, y Parchedig Richard Jones, wedi dweud y byddai'n fodlon fy nghefnogi a rhoi pob cymorth imi mewn treibiwnal. Ond roeddwn yn ormod o gachgi i fod yn gonshi. Byddai'n rhaid i mi basio'r cloc coffa wrth y stesion yn y Felinheli ac enwau dau frawd fy nhad arno: Johnny a fu farw ar 20fed Rhagfyr, 1917 yn 22 oed ym Mhalestina (ac a gladdwyd ar Fynydd yr Olewydd, Jerwsalem) a Tommy a fu farw ar 25ain Chwefror, 1918 yn 20 oed. Mae ei fedd yn Amiens, ger y Somme yn Ffrainc. Bu farw Dick, y brawd hynaf, yn Lerpwl yn 1922 o ganlyniad i effaith y nwy. Cefais brofiad gwefreiddiol yn 1997 pan aeth fy chwaer a minnau i weld bedd Tommy yn y Somme – yr unig fedd gydag angor arno. *Able Seaman* ydoedd ac efallai ei fod wedi ymuno â'r milwyr ar y ffordd drosodd ar y cwch. Rhoddwyd llechen o lan y môr ar ei fedd, ac 'oddi wrth deulu Felinheli' wedi'i ysgrifennu arni. Cofiaf feddwl; os oedd yn edrych i lawr o'r nef arnom ein dau, efallai ei fod yn gofyn lle buon ni mor hir! Roedd Nain wedi rhoi adnod ar ei fedd: 'Fel blodeuyn y daw allan, ac y torrir ef ymaith...' (Job 14, adnod 2).

Gan fy mod am dreulio dwy flynedd orfodol yn y Lluoedd Arfog, roeddwn yn awyddus i ymuno â'r Awyrlu Brenhinol. Cefais y cyfle – efallai oherwydd fy mhrofiad yn yr ATC – a cheisiais ymuno fel deintydd. Wedi i mi gael archwiliad meddygol bu'n rhaid i mi deithio i wersyll adran ddeintyddol yr Awyrlu yn Uxbridge, ger Llundain, i gael arholiad ymarferol. Roedd deuddeg o ymgeiswyr yno am ddau ddiwrnod, a chefais y dasg o osod dant aur yn y geg ffug o'm blaen. Nid oeddwn wedi cael y profiad o weithio gydag aur – doedd neb yn y Felinheli'r amser hwnnw yn gofyn am ddant aur yn eu cegau! Canlyniad hynny oedd fy mod wedi colli llawer o farciau. Cawsom ganlyniadau'r arholiad gan swyddog o ddeintydd, a chael y wybodaeth mai dim ond un ymgeisydd allan o'r deuddeg oedd yn cael cynnig y swydd am ddwy flynedd. Dywedodd wrthyf y buaswn yn cael ymuno â'r adran ddeintyddol pe bawn yn

Milwr bychan – Heddlu Militaraidd 1954-56

arwyddo i wasanaethu am gyfnod o dair blynedd. Wrth gwrs, gwrthodais – roeddwn yn benderfynol mai dim ond dwy flynedd o 'mywyd yr oeddwn i am ei roi i'r Frenhines!

Wrth basio rhyw swyddfa yn y gwersyll hwnnw yn Uxbridge, clywais guro ar un o'r ffenestri a llais yn fy nghyfarch: 'Helo'r *footballer* o'r Felinheli!' Hen ffrind annwyl oedd yno, Bobby Haines, a oedd yn aelod o'r Awyrlu Brenhinol. Roedd Bobby a minnau wedi cyd-chwarae ambell i gêm bêl-droed yng Nghaernarfon i'r *Boys Club* ers talwm ac wedi ennill llawer o gwpanau. Cymeriad a hanner, a wasanaethodd yn ddiweddarach fel maer ar y dref, ymysg llawer o weithgareddau eraill. Adroddais fy stori wrtho am y 'dant aur' a'r un oedd ei ymateb yntau: 'does dim llawer o ddannedd aur yng nghegau'r Cofis 'chwaith!'

Ymuno wnes i yn y diwedd, a mynd gyda'r *Royal Artillery* i Groesoswallt am bythefnos o *squad bashing*. Daliais drên o'r Felinheli i Groesoswallt, gyda hanner dwsin o gyn-aelodau'r ATC o ardaloedd Caernarfon a Llanberis. Martsio fuon ni, fwy neu lai, am bythefnos. Wedyn, roedd yn rhaid mynd o flaen rhyw banel – roeddwn ychydig yn wahanol i weddill yr hogiau gan fy mod eisiau ymuno â'r *Dental Corps*. Rhaid oedd arwyddo am dair blynedd o wasanaeth, felly anfonwyd fi ynghyd â chwe bachgen arall i'r Heddlu Milwrol, ac i faracs Inkerman yn Woking, Surrey. Hyfforddais fel *Red Cap*, ond gyda'r teimlad fy mod yn ymladd dros y ddwy ochr: hogia ni a gweddill Prydain!

Roedd yr hyfforddiant am dri mis – y mis cyntaf fel milwr cyffredin (llawer iawn o fartsio oedd hynny unwaith yn rhagor a deud y gwir). Yn ystod yr ail fis bu i mi ddysgu gyrru. Bûm yn anlwcus – roeddwn wedi gobeithio y cawn ddysgu gyrru *landrofer*, ond yng nghriw'r beiciau modur y cefais fy rhoi. Ar ôl pasio'r prawf cefais drwydded i reidio'r peiriant, ond nid oeddwn yn hapus.

Tasg y trydydd mis oedd dysgu am y gyfraith filwrol a sut roedd rhoi achos at ei gilydd, mynd i lys barn ac yn y blaen. Roedd yn rhaid dysgu sut oedd saethu gwahanol ynnau hefyd. Un diwrnod, pan oeddwn yn y maes tanio bu i'm gwn gloi. Wrth geisio egluro i'r Capten ar ddyletswydd beth oedd wedi digwydd anelais y gwn tuag ato heb sylweddoli beth oeddwn yn ei wneud, a cheisio dangos iddo nad oedd y gwn yn gweithio. Tarodd fi ar draws fy moch yn galed gyda'i ffon, gan fy siarsio byth i anelu fy ngwn at neb heblaw'r gelyn. Roedd y wers yn un galed, a bu marc ar fy ngrudd am wythnosau.

Hen gartref i ferched a chanddynt afiechyd meddwl oedd baracs Inkerman cyn iddo ddod i feddiant y fyddin. Yn ôl y sôn, roedd ysbryd un o'r merched yn cerdded ar hyd coridor ar y llawr uchaf bob nos Wener. Felly, y traddodiad ymysg y milwyr mwyaf profiadol (roeddem wedi bod yno ers pythefnos!) oedd ceisio dychryn y rhai a oedd newydd gyrraedd y baracs drwy wisgo mewn cynfasau gwyn. Un noson, es i ymweld â'r hogia newydd, a gofyn a oedd rhywun o Gymru yno. Cododd un llaw.

'Wyt ti'n siarad Cymraeg?' gofynnais iddo. Atebodd ei fod. Un o Ddolgellau oedd Dic Ellis – daethom ein dau yn ffrindiau ac ymunodd y ddau ohonom â Heddlu Gogledd Cymru ar ôl gadael y fyddin.

Yn 1955, wedi i ni orffen ein hyfforddiant, gyrrwyd tua ugain ohonom i ynys Cyprus i warchod rhag y trais a oedd yn deillio o'r anghydfod gwleidyddol ar yr ynys. Hwyliodd ein llong allan o Southampton, a llais Vera Lynn ar y *tannoy* ar y doc yn canu, '*We'll meet again . . .*'.

Roedd llong yr *Empire Ken* ar ei mordaith olaf a chawsom storm ofnadwy ym Mae Biscay. Sôn am fod yn sâl môr; bron fy mod eisiau marw, a finnau o deulu o forwyr!

O'r diwedd, cyraeddasom ddinas gaerog Famagusta ar

ochr ogleddol Cyprus, a chysgu am rai wythnosau mewn pebyll cyn symud i westy o'r enw *Elsie*. Wel, os nad oedd gen i hiraeth am Mam ynghynt, mi roedd gen i wedyn! Roedd un Cymro arall yn rhan o'r criw – Lyn Jones o Bont-iets; a aeth yn athro wedi iddo adael y Fyddin.

Ynys hardd yw ynys Cyprus gyda'i thraethau a'i mynyddoedd bendigedig, a'i thywydd perffaith. Roedd y Twrciaid yn gyfeillgar dros ben, ond roedd y Groegiaid yn ein casáu. Yn ffodus, roedd gennyf ffydd ac ymddiriedaeth yn Mwstaff, plismon o Dwrc a oedd yn gyfieithydd imi ac roedd yn edrych ar f'ôl yn gyson. Teimlwn y byddai'n rhoi ei fywyd drosof.

Roedd yr ynys wedi ei rhannu'n ddwy. O safbwynt y Groegiaid, roedd y sefyllfa wleidyddol yn debyg iawn i'r sefyllfa yn Iwerddon, a gwelais fod Enosis; y ddelfryd o uno'r ynys â Groeg; yn debyg iawn i un Sinn Fein. Bwriad y mudiad treisgar EOKA; Mudiad Cenedlaethol Ymladdwyr Cyprus dan arweiniad y Cyrnol George Grivas; oedd rhoi diwedd ar reolaeth Prydain o'r ynys – fel yr IRA. Pan fyddem yn patrolio yn Nicosia byddai'r Groegwyr yn gweiddi '*Pesavengi*!' arnom. Dyma'r sarhad mwyaf i Roegwr (fûm i fawr o dro'n darganfod mai putainfeistr, neu ddyn gwan sy'n gadael i ddynion eraill gysgu gyda'i wraig, oedd y sarhad!).

Cafodd Stryd Ledra yng nghanol tref gaerog Nicosia yr enw *The Murder Mile* gan fod cenedlaetholwyr yn fynych yn ymosod ar filwyr Prydeinig oedd yn ceisio'i gwarchod. Roeddem ni'n patrolio'r stryd honno, ac allan o dri deg o'n cwmni ni, y Capiau Cochion, cafodd tri eu saethu yn eu cefnau.

Bu'n rhaid i ni warchod y carchar un noson gan fod dau aelod o EOKA yn cael eu dal yno cyn cael eu crogi yn y bore. Cawsom wybodaeth bod aelodau eraill EOKA am ddod yno i geisio rhyddhau'r ddau, a dyna pam yr oedd yn rhaid amgylchynu'r carchar. Rhyw gawr o Wyddel gwallt coch oedd yn tyllu'r bedd tu allan i'r gell, ac yn canu '*Danny Boy*' – un o hogiau'r caib a rhaw!

Roeddem ryw 25 llath oddi wrth ein gilydd, ac wrth fy ochr safai cymeriad o'r enw Brian Jack o Blackpool. Cododd yn sydyn gan waeddi: '*Halt! Who goes there?*' Dim ateb. Gwaeddodd drachefn – dim ateb. Roedd y chwiloleuadau yn fflachio ar y gwrych lle'r oedd y sŵn. Cododd Brian a saethu i gyfeiriad y sŵn, a chlywsom sgrech annaearol – roedd o wedi saethu mul! Yn ffodus i Brian, rhedodd yr anifail i ffwrdd!

Dro arall roeddwn ar ddyletswydd yn gwarchod Palas Ledra – cartref yr Archesgob Makarios, a ddaeth yn ddiweddarach yn Llywydd cyntaf Gweriniaeth Cyprus – a deuthum ar ei draws yn cerdded yn ôl ac ymlaen yn yr ardd.

'*Good morning Archbishop,*' cyfarchais ef, ond yr ateb a gefais oedd: '*No Englishman speaks to me.*'

Atebais: '*I am not English, I'm Welsh.*' Bu i'w ateb fy syfrdanu.

'*I received a letter recently from your Prime Minister Evans wishing me success with our campaign.*' Gwynfor Evans, llywydd Plaid Cymru ar y pryd oedd o'n ei feddwl – wel, mae arnaf ofn mai dyna'r eiliad y bu i mi droi fy nghefn ar Blaid Cymru.

Pan ddefnyddir y gair 'panic' mae pawb yn meddwl am wahanol amgylchiadau yn ei fywyd personol. Un 'panic' wnaeth argraff arna' i oedd ychydig ddyddiau ar ôl imi siarad â Makarios ym Mhalas Ledra. Cawsom ein galw i'r maes awyr y tu allan i Nicosia (ger mynwent filitaraidd Waynes Keep) a gwelsom ddwy awyren ar y man glanio: yr un ar y dde yn disgwyl am gael hedfan i Athen, Groeg a'r llall ar y chwith – wel, roedd ychydig o ddirgelwch ynglŷn â hon. A phwy oedd yn cyrraedd y maes awyr ond Makarios gydag oddeutu deg o archesgobion; pob un â barf ac yn gwisgo

Fi ar y chwith gyda Bill, gôl-geidwad y tîm pêl-droed. Sylwch ar y sannau'n sychu yn y cefndir!

dillad du a hetiau du uchel, nid yn annhebyg i'r het draddodiadol Gymreig! Bwriad yr Archesgob oedd teithio ar yr awyren oedd i hedfan i Athen, ond yn sydyn, o'r tu ôl i ryw adeilad, neidiodd grŵp o ddynion, yn eu dillad eu hunain, ato a'i arwain i'r awyren arall ar y chwith. Sylweddolais mai cael ei herwgipio oedd y creadur! Roedd yr awyren yma am ei hedfan i Ynysoedd y Seychelles ym Môr India, a dyna lle y bu am rai misoedd. Mewn panig, rhedodd yr archesgobion ar ei ôl, ond wrth iddynt sylweddoli fod hynny'n ofer, gwelais hwy'n rasio i gael gafael mewn ffôn er mwyn hysbysu Athen a'r byd beth oedd wedi digwydd i'r Archesgob.

Rhan o'r gwaith yn Nicosia oedd cadw llygad ar y milwyr oedd yn ymweld â strydoedd oedd *out of bounds* – dyna lle'r oedd y puteiniaid yn gweithio. Cofiaf i ni ddal tua chwech o gatrawd y *South Wales Borderers* yno a'r rhingyll yn gofyn a oeddem am eu harestio. 'Na,' meddwn innau, 'Cymro wyf finnau hefyd,' a dyma leinio'r hogiau mewn rhes a chefais saliwt *smart guards* ganddo. Dyna'r unig dro yn fy ngyrfa y cefais i saliwt gan neb!

Roedd pob milwr ar yr ynys wedi derbyn cerdyn coch, ac arno roedd cyfarwyddyd sut i saethu 'y gelyn'. Cyfrifoldeb yr unigolyn oedd gwneud y penderfyniad i saethu – p'un ai i amddiffyn ei hun, i warchod methiant difrifol, i chwalu torf afreolus neu derfysg, ac yn y blaen. Y man delfrydol i saethu rhywun oedd canol y corff – lle na allech ei fethu. Wrth drafod y cerdyn coch yn y NAFFI, neu'r cantîn, un noson, a minnau wedi cael peint neu ddau, dyma fi'n datgan na fuaswn yn gallu saethu na lladd neb. Efallai mai dylanwad Ysgol Sul Moriah arna i oedd yn gyfrifol am hynny. Aeth un o'r milwyr a oedd yn gwrando i achwyn wrth y swyddogion, a chefais orchymyn i fynd o flaen y Swyddog. Gofynnwyd imi sut yr oeddwn am bledio am y drosedd – roeddwn yn cael fy nghyhuddo o siarad yn anghyfrifol yn gyhoeddus am y cerdyn coch – ac a fuaswn yn saethu'r Groegiaid terfysgar.

(*c*) To disperse a riotous mob that you honestly believe will cause serious injury to life and property if not forcibly prevented.

(*d*) To arrest persons committing acts of violence, or whom you honestly believe have done so, or are about to do so, and to prevent their escape.

3. WHEN YOU SHOULD NOT FIRE.

(*a*) If it is obvious that you can achieve your object by other means do not shoot.

(*b*) If you are a member of a party under the orders of a superior, do not fire until he orders you to do so.

4. HOW TO FIRE.

(*a*) Always fire aimed shots.

(*b*) Aim at the part of the body you are least likely to miss, *i.e.*, in the middle.

(*c*) Never fire warning shots over people's heads.

5. SENTRIES AND PICQUETS.

(*a*) If you or the persons or place you are guarding are attacked with arms or explosives, open fire at once.

(*b*) If you think you are about to be attacked in any way challenge loudly, bring your weapon to the aim and call out the guard. If the person challenged halts get a member of the guard to investigate. If he does not and you really believe that he is about to attack you with arms or explosives shoot him at once; otherwise try to halt him with your bayonet.

6. ESCORTS.

(*a*) If you, your driver, passengers or vehicles are attacked with arms or explosives open fire at once and tell the driver to keep going and get away.

(*b*) If you are only stoned tell your driver to keep going and get away. Don't fire unless the stoning is so serious that you really believe the vehicle may be stopped altogether and that you, the driver or your passengers, will be seriously injured.

(*c*) If your vehicle is obstructed by a road block try to remove it. If you are then attacked with arms or explosive, open fire.

(*d*) Always be on the alert with your weapon at the ready.

Copi o gerdyn coch Cyprus – sut i saethu'r gelyn

Yr ateb roddais oedd y buaswn, ond i amddiffyn fy hun yn unig. Cafwyd fi yn euog, a'r gosb oedd stopio fy nghyflog am bythefnos, ond yn ôl rheolau milwrol mae'n rhaid i'r Frenhines dalu isafswm o geiniog y dydd i'w milwyr. Felly, am bythefnos, gorfu i mi fynd o flaen y swyddog oedd yn ein talu ni, rhoi saliwt a derbyn saith geiniog o gyflog am yr wythnos! Dyna'r aberth am amddiffyn egwyddorion yr Ysgol Sul.

Treuliais ychydig o amser gyda changen y SIB (*Special Investigation Branch*) tra oeddwn ar yr ynys, oedd yn debyg i gangen arbennig yn yr heddlu, a dysgais lawer am weithredoedd gwrthderfysgwyr, eu dulliau a'u bomiau. Er enghraifft, pe byddem yn derbyn galwad ffôn yn datgan bod ffrwydron wedi'u gosod ym Mhorth y Gogledd yn Nicosia, roeddem bob amser yn anelu tuag at Borth y De. Y terfysgwyr fyddai yn gyfrifol am y galwadau ffôn fel arfer, wedi gosod ffrwydradau amatur, cyntefig gyda'r bwriad o wneud hynny allen nhw o ddifrod.

Byddai pob milwr a wasanaethai ar yr ynys yn gorfod treulio pythefnos yn ei dro yn gwarchod yr Arlywydd, Syr John Harding, yn Nhŷ'r Llywodraeth yn Nicosia. Yn ystod fy nhri mis olaf ar yr ynys cefais ymuno â phump arall o'r Capiau Cochion i warchod yr adeilad. O dro i dro rhaid oedd bod ar ddyletswydd yn y brif fynedfa ac roedd cangen fawr yn hongian dros y giât – cyfleus iawn, gan fod gennyf anifail anwes – cameleon o'r enw Orwig a gefais gan filwr oedd yn gadael yr ynys. Enwais o ar ôl Orwig Bach o'r Felinheli a oedd yn arbennig o ara' deg ar y cae pêl-droed. Roedd yn cymryd awr union i Orwig gerdded ar hyd y gangen, wrth newid ei liw weithiau, o wyrdd i felyn i frown. Rhoddodd rhyw Sais Orwig unwaith ar faner Jac yr Undeb, ond chwarae teg iddo, wnaeth o ddim newid ei liw!

Dyn bychan o gorff oedd Syr John Harding a dynes dal, snobyddlyd oedd ei wraig. Roeddem yn mynd i nofio tua

6.30 o'r gloch bob bore yn eu pwll nofio preifat o flaen y tŷ, ac ar ôl gorffen, yn gollwng y dŵr o'r pwll a'i lenwi gyda dŵr glân, cyn iddynt hwy ei ddefnyddio.

Roedd cantîn bychan yn yr adeilad ar ein cyfer ni'r milwyr. Un bore roedd un o'r milwyr yn ysmygu, gan ddweud yn ddirmygus wrth ei ffrindiau: '*I can't read that "No Smoking" sign, it should be* "Dim Ysmygu".' Ar hynny, dyma fi'n troi ato a dweud: 'Diffodd y sigarét yna!' Bachgen o Lanberis oedd o, ac ar ôl dod adref es i ymweld â'i fam a dweud wrthi fod ei mab yn iawn, ond yn dal i 'smygu!

Bu'r tri mis a dreuliais ar ddyletswydd yn Nhŷ Syr John Harding yn agoriad llygad i mi. Byddai Syr John yn aml yn gadael y tŷ i hedfan mewn hofrennydd i'r maes awyr yn Nicosia, er mwyn teithio ymlaen i Lundain. Roedd gwneud yn siŵr ei fod yn ddiogel yn ystod y teithiau hyn yn hollbwysig.

Yn syth ar ôl iddo ddiflannu, byddai Lady Harding a'r staff yn cynnal parti ar y lawnt, a byddai uwch-swyddogion y fyddin ymysg y gwahoddedigion. Un tro fe ddarganfuwyd bom o dan wely Syr John wedi un o'r partïon hyn – un o'r gwesteion Groegaidd oedd yn gyfrifol. O ganlyniad, cawsom orchymyn wedyn i saethu unrhyw un a fyddai'n mentro i'r balconi y tu allan i ffenestr ei ystafell wely.

Yn ystod un o'r nosweithiau gwyllt yma gwelais gapten mawr tew wedi meddwi a photel o gwrw yn ei law, yn canu'n braf ar y balconi. Do, cefais fy nhemtio i roi bwled rhwng ei ll'gadau, oherwydd na fuaswn wedi fy nghael yn euog o unrhyw drosedd! Yn ddiweddarach, canodd yr un swyddog y larwm diogelwch a'n galw allan. I be, meddech chi? I gasglu dillad isaf y merched, a oedd yn nofio yn noethlymun, o'r drain o amgylch y pwll! Cefais weld, y noson honno, sut yr oedd hanner arall y fyddin yn byw.

Roedd gan Helen a finnau ddealltwriaeth yn ystod y cyfnod

a dreuliais yng Nghyprus. Bob nos am un ar ddeg o'r gloch roeddem ill dau yn edrych i fyny ar y lleuad, fy anwylyd yn Neiniolen a minnau yn Nicosia, a meddwl am ein gilydd (er, wn i ddim sut oedd y ddwyawr o wahaniaeth yn yr amser yn effeithio ar hyn, wrth edrych yn ôl!). Pan ddaeth fy nghyfnod o ddwy flynedd yn y fyddin i ben, rhoddwyd pwysau arnaf gan yr awdurdodau i aros am flwyddyn ychwanegol a chael fy ngwneud yn rhingyll, ond roedd yr awydd i ddod adref at Helen yn gryfach.

Cyn gadael yr ynys ysgrifennais nodyn i'r Prif Gwnstabl, Syr William Jones-Williams yn holi am swydd fel plismon ar ôl gorffen yn y fyddin. Cefais ateb – un frawddeg. 'Dewch i'r Pencadlys, Caernarfon ar ôl i chwi gyrraedd adref!'

Os euthum allan yn y cwch hynaf, cefais ddod adref mewn steil – mewn llong newydd sbon, y *Navada,* a gafodd

Ym Maracs Inkerman – fi ar y dde yn y cefn

ei defnyddio i gario cannoedd o blant ysgol ar eu gwyliau flynyddoedd yn ddiweddarach.

Pleser, ymhen blynyddoedd, oedd ymweld â'r ynys a Thŷ'r Arlywydd gyda Helen. Erbyn heddiw mae cerfddelw o Makarios y tu allan, yn pwyntio'i fys i gyfeiriad yr adeilad – fel petai'n dweud: 'fy nhŷ i ydi o rŵan!' Hyfryd hefyd oedd teithio i ogledd yr ynys yn 2001. Cawsom aros yng Ngwesty'r Dorme yn Kyrenia, lle treuliais gyfnod pan oeddwn yn gwasanaethu ar yr ynys; yn cael nofio yn y môr ger y traeth pedair milltir o hyd bob pythefnos. Soniais wrth reolwr y gwesty fy mod wedi ymladd yr EOKA ar fynyddoedd Troodos, yng nghanol yr ynys. Fel yr oedd yn digwydd bod, bu ei dad yn ymladd yn yr un ardal, a dyma ysgwyd llaw. Cafodd Helen a minnau ein rhoi yn yr ystafell orau yn y gwesty – roeddem yn meddwl mai ystafell arbennig ar gyfer rhai ar eu mis mêl ydoedd!

Roedd cael rhyddid i deithio drwy ogledd Cyprus yn braf; roedd lonydd newydd yno a thrafnidiaeth yn ysgafn iawn. Gwelsom y *belly dancers* wrth eu gwaith mewn clwb nos, a fi gafodd fy newis o'n bwrdd ni i roi'r arian yn ei bra! Wn i ddim pam . . . !

Llun swyddogol y criw yn Inkerman. Fi sydd ar y dde yn y rhes flaen.

Pennod 4

Ymuno â'r Heddlu 1956-60

Mae'n rhaid i mi gyfaddef mai gweinidog a wasanaethodd yng nghapel Moriah yn y pum degau, y Parch. Robert W. Hughes, a achubodd fy ngharwriaeth i. Roedd Mam yn ffrindiau agos gyda gwraig y parchedig – Anti Mem oedd hi i ni'r plant – ac roedd dwy ferch ganddynt, Buddug a Nesta (mae Nesta erbyn hyn yn fam i dri o hogiau sydd yn adnabyddus yn y Felinheli oherwydd enwau eu tai yn y pentref – Cloc Fiw, Terfyn Terrace; Dim Fiw, Stryd Menai ac Uffar o Fiw, Penrallt).

Roedd Mr Hughes, un Sul arbennig, yn pregethu yng Nghapel Ebenezer, Deiniolen a thad fy nghariad yn y gynulleidfa. Gofynnodd Tom Peris Jones, a oedd yn llyfrgellydd yn Neiniolen, i'r gweinidog a oedd yn fy adnabod. 'Wrth gwrs,' oedd ei ateb, 'un o fy hogiau i ydyw Elfyn, y gorau yn y Felinheli, ond mae ganddo un bai mawr – mae'n aelod o'r Blaid Bach 'na'. Roedd Mr Hughes yn Sosialydd mawr, fel fy narpar dad-yng-nghyfraith!

Roedd Tom Peris, fel pob tad, yn poeni am ddyfodol ei ferch ac eisiau'r gorau iddi. Roedd ganddo reswm da – erbyn hynny roedd Helen wedi graddio a chael swydd fel athrawes yn Ysgol Twtil, Caernarfon, a finnau ar y dôl. Newydd gyrraedd adref oeddwn i ar ôl bod yn gwasanaethu ar ynys Cyprus, ac yn cicio fy sodlau am ddeufis cyn cael ymuno â Heddlu Gwynedd yng Nghaernarfon. Roeddwn wedi cael cynnig gwaith fel technegydd deintyddol ym Mirmingham, ond gwrthod wnes i gan fy mod eisiau aros yng Nghymru.

Ar Dachwedd 29ain, 1956, ymunais â Heddlu Gwynedd. Teimlais fod yr arholiad mynediad a'r cyfweliad gyda'r Prif Gwnstabl yn reit hawdd o'i gymharu â'r hyn y bu i mi ei brofi yn yr Heddlu Milwrol. Pan welodd fi gyntaf yn y cyfweliad, dywedodd y Chief wrthyf: '*You don't look very intelligent – I'll give you an easy number to remember. Two out of six leaves four.*' Fi felly oedd y cwnstabl rhif 264 cyntaf erioed.

Roedd y Prif Gwnstabl William Jones-Williams yn bennaeth strict a militaraidd iawn. Roedd ei deulu o Edern, Llŷn, ond cafodd ei eni yn Ninas Mawddwy, Sir Feirionnydd. Ymwelodd â gorsaf yr heddlu yno un tro a dweud wrth y plismon lleol y dylai fod 'na blac ar du allan y tŷ i ddatgan mai yno y cafodd Prif Gwnstabl Gwynedd ei eni. 'Ie,' meddai'r heddwas, 'a phlac arall oddi tano yn dweud "Dyma lle bu PC Owen farw"!'

Symudodd y teulu pan ddyrchafwyd ei dad yn Rhingyll yn Heddlu Sir Feirionnydd yn Nhywyn, ac yn y dref honno y treuliodd ei flynyddoedd cynnar. Ar ôl dod adref a chael gradd BSc ym Mhrifysgol Aberystwyth dywedodd wrth ei dad ei fod eisiau ymuno â'r Heddlu. Roedd gan Brif Gwnstabl Birmingham, C. C. H. Moriarty, dŷ haf yn Nhywyn a phan ofynnodd y llanc am ei gyngor, cynghorodd Moriarty ef i ymuno â'r heddlu ym Mirmingham. Gwnaeth hynny, ac ar ôl ychydig amser cafodd fynd yn fyfyriwr i'r Brifysgol yno ac ennill gradd yn y gyfraith. Pan ddechreuodd y rhyfel aeth i'r fyddin fel Lt Colonel, ac ar ddiwedd y rhyfel roedd yn aelod o'r tîm a aildrefnodd Heddlu Sifil yr Almaen. Ar adael y fyddin cafodd ei benodi'n Brif Gwnstabl Sir Gaernarfon, heddlu bychan ar y pryd, ond a unodd â heddluoedd Sir Fôn a Meirionnydd ymhen amser i greu heddlu newydd Gwynedd. Wrth gwrs, ef gafodd swydd Prif Gwnstabl cyntaf Gwynedd. Erbyn diwedd y chwe degau roedd yn ŵr gweddw; ac fe ailbriododd yn 1970 gyda'r wraig oedd yn edrych ar ei ôl (roedd rhai yn dweud ei bod wedi cytuno i'w briodi oherwydd iddo dderbyn dyrchafiad i fod yn farchog, er mwyn iddi hi gael bod yn Foneddiges). Bu farw yn 1972, ond bu'r Foneddiges fyw tan 2009.

Flynyddoedd yn ddiweddarach, yn 1969, cefais fy symud i weithio yn y Pencadlys ym Maesincla, Caernarfon. Yn y bin sbwriel roedd copi argraffiad cyntaf o lyfr C. C. H. Moriarty, *Police Law,* ac arno nodiadau yn llawysgrifen y Prif Gwnstabl Jones-Williams, o'r cyfnod pan oedd yn blismon ifanc yn Heddlu Birmingham. Roedd yn glasur o waith cywrain. Y Prif Gwnstabl fu yn diweddaru llyfr Moriarty – beibl yr heddweision yn y cyfnod yma – bob rhyw ddwy flynedd ar gyfer yr heddlu.

Roedd tad y Prif Gwnstabl wedi ymddeol ac yn dal i fyw yn Nhywyn, a phan fyddai'r mab yn ymweld ag ef byddai bob amser yn rhybuddio Rhingyll yr orsaf fod y Prif Gwnstabl ar ei ffordd. Pan unodd y tair sir yn 1950 i fod yn Heddlu Gwynedd roedd y swydd wedi cael ei theilwra ar gyfer Lt Col. W. Jones-Williams, ond bu ychydig oedi, oherwydd mai Richard Jones, Prif Gwnstabl Sir Feirionnydd a oedd yn 83 oed, oedd yr uwch-swyddog. Byddai'n cael archwiliad meddygol yn flynyddol i brofi ei fod yn holliach i barhau gyda'r swydd, ac mae'n amlwg nad oedd unrhyw reidrwydd arno i orffen ei wasanaeth ar ôl cyrraedd rhyw oedran arbennig. Chefais i erioed gyfarfod ag ef, ond mae 'na storïau diddorol amdano, fel yr un am ddyrchafiad ei fab, Hywel, yn Ddirprwy Brif Gwnstabl, er iddo gael damwain beic modur a oedd wedi ei adael gydag un goes yn llai na'r llall.

Un bore Gwener roedd Hywel ar ddyletswydd ar y sgwâr yn Nolgellau pan stopiodd cyfaill iddo yn ei gar – roedd ar gychwyn am Lundain ar fusnes. 'Tyrd am reid,' meddai. Neidiodd Hywel i mewn i'r cerbyd. Tra bu ei gyfaill yn ei gyfarfodydd busnes, ymwelodd Hywel â nifer o dafarnau'r ddinas a meddwi'n llwyr; a chafodd ei arestio gan blismyn y Metropolitan. Derbyniwyd galwad ffôn yng ngorsaf Dolgellau yn holi a oedd ganddynt Ddirprwy Brif Gwnstabl o'r enw Hywel Jones. Atebwyd yn gadarnhaol. 'Wel', meddai'r swyddog, 'mae o'n feddw yn un o'n celloedd ni mewn gwisg Arolygydd.' Rhoddodd Richard Jones orchymyn iddynt i'w roi ar y trên nesaf adref.

Yn y pedwar degau dau ffôn yn unig oedd gan heddlu'r Sir – un yn Nolgellau a'r llall ym Mlaenau Ffestiniog. Un tro atebodd heddwas yn Blaenau y teleffon, ac yna'n rhoi ei law dros y darn gwrando a dweud: 'Mae'r Bl ... g Chief ar y lein.' Gwaeddodd Richard Jones ar ben arall y lein: 'Mi glywais i hynna!'

Yn ystod yr un cyfnod roedd plismon ifanc o'r enw Ben Evans yn byw yn yr hen Orsaf yn Ffordd Cwmbowydd (erbyn i mi fynd i'r Blaenau i weithio yn 1960, roedd wedi cael ei ddyrchafu yn Rhingyll). Cardi o Benuwch oedd o, a thipyn o gymeriad. Roedd ei wraig, a oedd hefyd yn gymeriad unigryw iawn, wedi cwyno bod eu tŷ heddlu yn damp. Aeth Richard Jones yno i archwilio'r adeilad ac ar y ffordd allan dywedodd wrth Mrs Evans bod y tŷ, yn ei farn ef, yn iawn a buasai ei wraig wrth ei bodd yn byw yno.

'Arhoswch yn fan'na,' meddai hi wrtho.

'Beth sy'n bod ar y ddynes 'ma?' gofynnodd Jones i Ben. Ar hynny, daeth y wraig yn ei hôl ac arllwysodd lond jwg o ddŵr ar ben y Prif Gwnstabl nes yr oedd yn socian.

'Sut ydach chi'n hoffi bod yn wlyb?' gofynnodd Mrs Evans. Atebodd y Prif Gopyn, '*Well, Ben Evans, you've got a terrible wife here,*' ac adref â fo i Ddolgellau.

Mae stori ddiddorol arall am Heddlu Sir Feirionnydd yn yr un cyfnod. Roedd y plismyn yn bygwth mynd ar streic ac wedi galw am gyfarfod mewn tŷ gwair yn ardal Corwen. Roeddent i gyd yno, a hon fyddai'r streic gyntaf erioed ym Mhrydain gyfan gan unrhyw heddlu; ond cyn diwedd y cyfarfod dyma'r Prif Gwnstabl Richard Jones yn cerdded i mewn a chwalu'r cyfarfod. Roedd rhywun wedi achwyn am yr hogiau, ond chafodd neb eu cardiau ganddo!

Rwy'n cofio'r Eisteddfod Genedlaethol yn Nolgellau yn 1949. Roedd Hywel, y Dirprwy Prif Gwnstabl, yn arwain y drafnidiaeth ar y bont sy'n croesi afon Wnion ac yn cyfarch y dorf oedd yn croesi am faes yr Eisteddfod, wedi meddwi'n braf. Dywedodd wrth rai o'r merched fod ganddynt hetiau tlws a gofynnodd i ambell gyfaill a oedd wedi gadael peint ar y bar yn y Golden Lion iddo. Fues i erioed yn dyst i ddigwyddiad mor ddoniol â hyn.

Fi oedd yr unig aelod o'm teulu erioed i ymuno â'r Heddlu ac roeddwn yn teimlo fel dafad ddu. Cefais fy ngyrru am dri mis o hyfforddiant i Ben-y-bont ar Ogwr cyn dechrau plismona ar 1af Mawrth, 1957, yn Llandudno.

Rhyw ddigon digalon oedd fy argraff o Ben-y-bont ond roeddem yn cael dod gartref un penwythnos y mis. I Gaerdydd fydden ni'n mynd y penwythnosau eraill. Roedd tri ohonom o Heddlu Gwynedd: Glyn Williams (y diweddar erbyn hyn) yn enedigol o Gricieth a ddaeth yn arweinydd y dosbarth, ac yn arolygydd cyn ymddeol o'r heddlu; fi a John Elphin Jones o Edern (fu wedyn yn rhingyll ym Mangor). Mewn rhyw hen gytiau y tu ôl i bencadlys Heddlu Morgannwg ar gyrion y dref yr oeddem yn cysgu a chael gwersi. Daeth Glyn gyda mi i Landudno ar ddiwedd y cwrs ac anfonwyd John i Gaergybi.

Rhyw ringyll tew o Heddlu Casnewydd gyda mwstash fel eroplên oedd ein tiwtor – cyn-aelod o'r RAF. Bell oedd ei gyfenw, felly, wrth gwrs cafodd y llysenw *Tinkerbell*! Bu'r hyfforddiant a gefais yno o gymorth mawr i mi yn fy ngyrfa yn yr heddlu, oherwydd roedd gwaith yr heddlu sifil yn dra gwahanol i'm dyletswyddau yn yr Heddlu Milwrol.

Wedi i mi orffen yr hyfforddiant a chyrraedd Llandudno yn blismon go iawn am y tro cyntaf, sylweddolais yn reit handi fod y gwaith, fel pob swydd arall am wn i, yn gallu bod yn ddifrif ac yn ddoniol – a'i bod yn hanfodol bwysig cael synnwyr digrifwch. Dysgais 'ysgwyd llaw gyda nobiau drysau', fel y gelwid y dasg o wneud yn siŵr bod drysau siopau a swyddfeydd wedi eu cloi yn iawn. Darganfyddais, un noswaith, fod drws llwyfan Theatr y Grand yn agored. Cerddais ar y llwyfan a gweld rhyw bobl yn archwilio soffa – a'u clywed yn dweud eu bod wedi colli allweddi'r car. Gan geisio bod yn gydwybodol, cynigiais eu helpu, ond y cyfan a glywais oedd chwerthin yn dod o'r seddau islaw. Cwmni drama yn ymarfer oeddynt – a minnau yn ddiarwybod wedi dod yn blismon drama o'r diwedd!

Roedd yn draddodiad yn Llandudno pan oeddem ar ddyletswydd nos i'r rhingyll alw mewn becws yn y dref i nôl torth ffres cyn mynd adref am chwech y bore. Roedd garej yn stryd gefn Madog yn rhentu ceir, ac ar ddychwelyd y cerbyd byddai'r gyrrwr yn gadael yr allwedd ar yr olwyn. Un noson, roeddwn yn gweithio gyda chyfaill i mi (a oedd yn dipyn o gymeriad) o'r enw Gwyn 64; a dyma benderfynu 'benthyg' un o'r ceir yma a mynd am dro i'r West Shore. Wrth ddychwelyd, rhad oedd croesi Stryd Madog, a phwy oedd yn digwydd bod yn reidio'i feic o'n blaenau oedd y rhingyll, ar ei ffordd i'r orsaf gyda thorth ffres o fecws Dunphy's o dan ei gesail. Roedd yn greadur reit nerfus ei natur, felly pan drawyd ef oddi ar ei feic gan ein car ni, gan ei adael o a'i dorth ar lawr, wnaethon ni ddim stopio! Erbyn i ni ddychwelyd y modur i'w le priodol, roedd Gwyn a minnau wedi penderfynu bod ein gyrfaoedd yn yr heddlu ar ben. Aethom yn ôl i'r orsaf ar ddiwedd y shifft, a gofynnodd y Rhingyll i mi sut gar oedd gen i. Atebais mai Volkswagen Beetle oedd gen i.

'Ew,' meddai, 'mi fyswn wedi taeru i mi dy weld yn dreifio ar draws Stryd Madog mewn car arall rhyw hanner awr yn ôl.' Doedd ganddo ddim digon o blwc i roi ffrae i ni.

Ar y ffordd adref, ysgwyddodd Gwyn a minnau ddwylo'n gilydd, gan ddiolch ein bod wedi cadw'n swyddi – y tro yma!

Ar 27ain Gorffennaf, 1957 priododd Helen a finnau yng Nghapel Ebenezer, Deiniolen, yng nghanol y glaw mwyaf welsoch chi erioed. Roeddwn i yn dechrau mynd yn anniddig wrth aros i Helen gyrraedd y capel, a rhoddodd y Parchedig Terry Thomas (a fu'n chwarae criced i Sir Forgannwg) ei law ar fy mhen a chyhoeddi fod Helen hanner awr yn hwyr, gan ymhelaethu: 'I chi allan yn fan'na tydi hyn ddim yn hir iawn, ond i'r creadur bach yma sydd yn eistedd yn y sêt fawr, mae fel oes!' Do, fe gyrhaeddodd Helen, a chan nad oedd tŷ'r heddlu yn barod i ni, ein cartref priodasol cyntaf oedd fflat yn Llandudno.

Wrth gwrs, roeddwn yn gweithio shifftiau fel pob plismon ifanc. Rwy'n cofio unwaith dod adref i'r fflat am frecwast ar ôl bod yn gweithio drwy'r nos, a nodyn yn fy nisgwyl ar y bwrdd, '*Two pints today please.*' Y diwrnod canlynol diolchodd y dyn llefrith i Helen am ei nodyn: 'Swper yn y popty. 'Dw i'n dy garu di'!

Rwyf yn cofio i Sarjant Iorwerth Parry, a oedd yn sarjant reit gas a dweud y gwir, fy ngyrru i'r *West Shore* am ddwyawr yng nghanol un noson wlyb ofnadwy; ond cefais le i 'mochel gyda chyfaill o dan y feranda yn Vaughan Street. Meddyliais y byddai'r Sarj yn amau nad oeddwn wedi cyflawni fy nyletswyddau pe awn yn ôl i'r swyddfa yn sych – doedd dim i'w wneud felly ond dal fy helmed o dan ddarn o'r feranda a oedd yn gollwng dŵr, er mwyn ei gwlychu'n iawn. Ymhen sbel, clywais rywun yn pesychu mewn drws siop y tu ôl imi. Dyna lle safai'r hen Sarjant yn fy ngwylio. Cefais fy nal go iawn y tro hwnnw – chofia' i ddim be ddywedais wrtho i geisio achub fy nghroen!

Mae siopau newydd heddiw rhwng tref Llandudno a

Chraig-y-don, ond bryd hynny, roedd yno fferm fechan yn cadw ieir. Dyma dystiolaeth rhyw hen blismon oedd yn gweithio gyda ni mewn achos rhyw dro:

'Your Worship, I was passing the Hen House and I heard noises. I asked, "Who's in there?" and someone answered, "It's only us chickens". I did not believe them, Sir!'

Un a fyddai'n aml ar ddyletswydd nos yn gwylio'r Pier yn Llandudno oedd cymeriad o'r enw Alf Roberts. Un noswaith penderfynodd un o'r hogiau ei ffonio, gan ddefnyddio acen Almaeneg, a chymryd arno mai capten llong o'r Almaen ydoedd a'i fod am angori ym Mae Llandudno'r noson honno. Roedd yn awyddus i ddod â chargo dirgel i'r lan a dywedodd y byddai angen cymorth arno. Gofynnodd i Alf fynd i ben draw'r Pier a fflachio ei fflachlamp am dri o'r gloch y bore. Ei wobr fyddai oriawr aur. Am dri o'r gloch dyna lle safai'r hen Alf yn fflachio fel coblyn i gyfeiriad y môr! Er mawr siom iddo, ni chafodd ei oriawr aur.

Diwrnod ein priodas

PENNOD 5

BLAENAU FFESTINIOG 1960-65

Gadewais Landudno fis Hydref 1960, a chael fy symud i Flaenau Ffestiniog – roedd Helen yn ei dagrau yn mynd yno, ond bum mlynedd yn ddiweddarach, crio am nad oedd eisiau gadael oedd hi!

Bu fy nghyfnod yn y Blaenau yn un hapus iawn. Cyfarfyddais â phobl ardderchog a charedig iawn, pobl oedd yn parchu plismyn. Mor wahanol yw'r sefyllfa ym mhobman heddiw. Roeddwn wedi bod eisiau byw mewn ardal wledig neu chwarelyddol ers yn blentyn – roedd dylanwad T. Rowland Hughes a W. J. Griffith yn drwm arnaf. Cefais bleser mawr o ymweld â Llyfrgell Gyhoeddus y dref a gweld yno ddau ddarlun o waith Kelt Edwards; un o Hedd Wyn a'r llall o'r bardd Elfyn. Gan ein bod yn rhannu enw, dechreuais gymryd diddordeb yn y bardd a'i waith.

Mae'n bur debyg y bydd llawer o Gymry ieuanc heddiw yn gofyn 'Pwy oedd Elfyn?' gan iddo farw dros 90 mlynedd yn ôl. Robert Owen Hughes ydoedd, a aned yn Plough Street, Llanrwst ar 8fed Hydref, 1858. Gweithiodd mewn ariandy am gyfnod o saith mlynedd cyn paratoi ar gyfer gweinidogaeth y Methodistiaid Calfinaidd, ond pharodd hynny ddim yn hir. Aeth i Lundain wedyn i weithio gyda'r cyhoeddwyr Kirby & Endean, a chyfarfu â Thomas Carlyle. Wrth weld rhyw fardd o Gaerffili yn defnyddio ei ffugenw, dywedodd: 'F'enw barddol urddol i lygra ffŵl o Gaerffili'.

Daeth Elfyn a'i deulu i fyw i Lan Ffestiniog yn 1888, pan gafodd ei benodi'n olygydd ar *Y Rhedegydd*. Yn ei ofid a'i alar ar ôl i'w eneth fach farw, cyfansoddodd ei emyn adnabyddus:

Dy ewyllys di a wneler
Ti sy'n gwybod Arglwydd Iôr
Beth yw uchder y mynyddoedd
Pa mor arw fydd y môr.

Bu farw yn Nhyn-y-maes, Llan Ffestiniog ar 14eg Mehefin, 1919, yn 61 oed, ac englyn beddargraff o'i waith ei hun sydd ar ei garreg fedd ym mynwent yr eglwys yn Llan Ffestiniog:

Canodd glec o newydd glod – i luoedd
 Hwyrach lawer gormod,
A hen âr mewn lle di-nod,
Roes i Elfyn breswylfod.

Yn ystod fy nghyfnod yn gwasanaethu yn y Blaenau roedd dros 2,000 o Wyddelod yn gweithio yng Ngorsaf Niwclear Trawsfynydd a gorsaf bwmpio dŵr Tanygrisiau, ac roeddent yn aros mewn gwersylloedd yn Nhanygrisiau a Bron Aber, tu allan i Drawsfynydd. Hen gytiau pren y Fyddin oeddynt, ac roedd y dynion yn cysgu a bwyta ynddynt. Ambell waith, fel y gallwch ddychmygu, roedd trwbwl a meddwi ac ymladd yn y gwersyll, ond roedd gennym ni'r heddlu ateb gwych i'r sefyllfa. Ar ôl cael galwad o'r gwersyll byddem yn ffonio Father Taffe, yr offeiriad Pabyddol lleol. Deuai gyda ni i'r gwersyll – yn wir, byddem yn ei anfon ef i mewn yn gyntaf i dawelu'r storm! Roedd ei ddylanwad yn llwyr. Wedyn roedd yn eu cyhuddo o fod yn bechaduriaid ac yn eu dirwyo yn ariannol – roedd yr arian yn mynd tuag at adeiladu eglwys Gatholig yng Ngellilydan. Âi'r Tad adref yn fynych gyda thua £200 yn ei boced at yr achos.

Yn 1964 daeth y Frenhines i agor gorsaf ddŵr Tanygrisiau yn swyddogol. Dyma'r tro cyntaf i mi gael profiad o warchod y teulu Brenhinol – wyddwn i ddim ar y pryd y byddwn yn dod i gysylltiad â hwy sawl gwaith yn ystod fy ngyrfa. Cefais fy anfon i warchod pont ar ffordd Maentwrog, a phan gyrhaeddais yno nid oedd neb i'w weld, ond clywais sŵn cerrig yn cael eu casglu o dan y bont. Es draw yno, a dyna lle gwelais ryw dramp oedd yn byw mewn carafán gerllaw yn casglu pentwr o gerrig. Roedd yn bwriadu eu lluchio at fodur y Frenhines oedd i fod i basio mewn rhyw bum munud. Es dros y wal a gafael yn dynn ynddo, a'i ollwng yn rhydd pan oeddwn yn sicr fod yr holl gerbydau pwysig wedi pasio uwchlaw. Yn ddiweddarach y diwrnod hwnnw, cefais ffrae gan y Rhingyll am nad oeddwn ar y bont pan oedd y Frenhines yn pasio. 'Wel,' meddwn. 'Roeddwn i oddi tani hi, rhag i garreg daro'r cerbyd Brenhinol!'

Roedd toiled newydd sbon wedi cael ei osod yn yr orsaf ddŵr yn arbennig ar gyfer yr ymweliad, ac ar ôl i'r Frenhines adael y safle, dyma Ben Evans – oedd erbyn hyn yn Rhingyll yn y Blaenau – yn mynd i'r toiled a chyhoeddi mai dim ond y fo a'r Cwîn oedd wedi eistedd ar yr orsedd arbennig honno!

Wrth i'r orymdaith frenhinol basio trwy Manod, rhywsut neu'i gilydd ymddangosodd cerbyd Mrs Evans, un o deulu'r sipsiwn, y tu ôl iddynt. Roedd yr hen greadures yn cael mwy o groeso na'r Frenhines, a dechreuodd godi ei llaw yn union 'run fath â'r Frenhines!

Mae gen i atgofion melys iawn o'r Blaenau. Ar un olwg roedd fel byw yn Rwsia – doedd dosbarth cymdeithasol ddim yn bwysig, rhywsut, hefo pawb ar yr un lefel, a pharch mawr gan bawb tuag at weinidogion a phlismyn.

Ar y cyfan, troseddau go debyg i bobman arall oedd yn cael eu cyflawni ym Mlaenau Ffestiniog, heblaw am ambell un na wnaf fyth eu hanghofio. Un bore, ar ôl cyrraedd gorsaf yr Heddlu, cefais orchymyn gan y Rhingyll i fynd i dŷ yn Nhanygrisiau er mwyn cludo corff baban bychan tua phedwar mis oed i Ysbyty Môn ac Arfon ym Mangor ar gyfer archwiliad gan y patholegydd, Dr Gerald Evans. Roedd angen darganfod achos ei farwolaeth.

O'r cychwyn cyntaf, dywedodd Dr Evans wrthyf mai achos o lofruddiaeth oedd hwn. Ffoniais i'r Blaenau yn syth a chafodd mam y baban ei harestio. Erbyn i mi ddychwelyd i orsaf yr Heddlu roedd yr Arolygydd Bill Parry wedi derbyn datganiad ysgrifenedig a oedd yn dweud bod y plentyn wedi disgyn oddi ar y soffa. Gan nad oedd adran CID llawn amser ym Meirionnydd ar y pryd bu'n rhaid i mi gyhuddo'r fam o lofruddiaeth, a dweud wrthi yn swyddogol ei bod wedi ei harestio dan amheuaeth o lofruddio plentyn yn erbyn cyfraith gwlad. Roedd yn anghyffredin iawn i blismon mor ifanc â mi gael profiad fel hwn.

Aeth yr achos o flaen barnwr yn Llys Sirol Aberhonddu a newidiwyd y cyhuddiad o lofruddiaeth i un o fabanladdiad – cafwyd y fam yn ddieuog o'r cyhuddiad hwnnw. Roeddem ni'r heddlu yn siomedig iawn â'r dyfarniad.

Roedd achosion o hunanladdiad yn uchel yn y fro, yn arbennig felly tua'r Nadolig. Cofiaf ddynes yn rhoi ei phen ar y cledrau yn y twnnel un tro, a phlismon yn lladd ei hun a'i deulu. Roedd gan Dr Gerald Evans o'r Swyddfa Gartref ei theori ei hun am achosion o hunanladdiad yn y Blaenau – roedd yn lle gyda thywydd glawog, diweithdra uchel a'r lleoliad yn codi iselder. Pan fyddai'n cynnal archwiliad post-mortem byddai'n llifio top y pen i ffwrdd, ac os gallai roi ei fys rhwng yr asgwrn a'r ymennydd byddai'n datgan fod gan y person hwnnw 'ymennydd hunanladdiad', a'i fod wedi cael ei eni felly. Cefais fy newis sawl gwaith i fynd i arsylwi ar archwiliadau o'r fath – nid y corff ei hun oedd y peth gwaethaf am y profiad gen i ond yn hytrach yr arogl. Gallaf ei gofio hyd heddiw.

Roeddwn yn ymweld â'r corffdy ym Mangor yn rhy aml o lawer yn fy marn i, a creulon oedd gorfod cludo cyrff hen chwarelwyr a oedd wedi dioddef oddi wrth lwch y llechi yno, er mwyn profi beth oedd cyfartaledd y llwch yn eu hysgyfaint. Dim ond wedyn y byddai'r weddw yn cael rhyw bensiwn bach. Rwy'n cofio'r patholegydd yn codi un ysgyfant o gorff a'i roi mewn bwced, gan ddweud mai dyma sylfaen cyfoeth teuluoedd y Faenol a'r Penrhyn.

Roeddwn wrth fy modd yn dod ar draws cymeriadau'r Blaenau gan eu bod yn bobl ddifyr iawn! Pan gyrhaeddais Blaenau am y tro cyntaf roedd yr heddlu lleol yn ymchwilio i achos difrifol o ddwyn defaid yn fferm Cae Drain. Tyst arbennig yr heddlu oedd bugail teithiol Sir Feirionnydd, Gwilym Prysor Jones, a oedd yn byw ar y pryd yn Nhŷ Capel, Capel Celyn. Daethom yn ffrindiau a chefais ganddo lyfr nodau clustiau holl ddefaid y Sir, llyfr sydd erbyn hyn wedi mynd ar goll mae'n gywilydd gen i gyfaddef. Ar 29ain Medi, 1963 cefais wahoddiad ganddo i gyfarfod Gwasanaeth Dadgorffori'r capel yng Nghwm Tryweryn. Roedd wedi cadw sedd i mi yng nghefn y capel. Roedd yn brofiad arbennig cael bod yn bresennol y noson honno, yr oedd yr awyrgylch yn drydanol! Wrth weddïo, roeddem yn clywed y gweithwyr yn chwythu'r creigiau gerllaw. Meddai'r pregethwr, 'Maddau iddynt Arglwydd, nis gallent aros inni orffen ein haddoliad'.

Cofiaf i botsiwr ddod i'r orsaf un diwrnod gyda llwynog hardd – roedd punt i'w gael bryd hynny am ei gynffon gan ryw adran swyddogol. Roedd eisiau'r bunt, ond hefyd eisiau stwffio'r anifail marw.

'Wel,' meddwn, 'mae Owen siop chips yn *taxidermist.*' Edrychodd arnaf yn hurt.

'Eisiau ei stwffio nid ei gwcio 'dw i!' atebodd.

Cyn i mi gyrraedd Blaenau, cafodd pedwar o ddynion eu lladd wrth adeiladu'r gronfa ddŵr yn Nhanygrisiau. Ar ôl y ddamwain, aeth gweddw un ohonynt i hel dynion. Ar nos

Wener byddai ciw go amheus y tu allan i'w thŷ. Roedd y ficer lleol, y diweddar Barchedig Ellis Hughes, yn byw gerllaw, ac fel yr oeddem ein dau yn digwydd pasio un noson, meddai'r ficer: 'Dim "Mrs Knott" ddylai enw hon fod, ond "Mrs Yes"!'

Daeth District Nyrs o Gardi at y ficer dro arall i gwyno bod ei gath o yn herio'i chath hi, a'i ymateb oedd: 'Peidiwch â phoeni Nyrs bach, wnaiff fy nghath i ddim ond sôn am ei *operation*!' Clywais stori amdano gan hen gyfaill i mi, y Parch. Berw Hughes, ficer yr Eglwys Farmor ym Modelwyddan, a ddywedodd bod merch fach wedi rhedeg i'r Ficerdy un noswaith a dweud wrth Ellis Hughes fod 'na ddyn diarth yn y gwely gyda'i mam, ac nad *daddy* ydoedd. Rhuthrodd y ficer yn syth i'r tŷ, i fyny i'r ystafell wely, a chicio'r godinebwr allan i'r stryd. Faint o offeiriaid heddiw ys gwn i fuasai yn gwneud yr un fath?

Tra 'mod i'n sôn am ryw, roedd cymeriad o Danygrisiau a elwid yn *Glamorous Granny* – hi oedd cariad y gwersyll. Daeth i'r orsaf un bore Sul a gwneud cwyn ei bod wedi cael ei threisio.

'Ond cofiwch, Williams, roedd o'n rêl *gentleman*,' meddai, 'pan ddeffrais yn y bore roedd wedi gadael papur £5 o dan y *pillow*.'

Roedd dynes o'r enw Mrs Jones a'i gŵr yn cadw'r *telephone exchange* yn ei chartref yn Stryd Maenofferen – doedd yr *automatic* ddim wedi cyrraedd Sir Feirionnydd bryd hynny. Mrs Jones fyddai ar ddyletswydd tan 8 y nos, a Mr Jones wedyn drwy'r nos tan wyth y bore. Nid oeddwn yn gwybod rhif ffôn neb, ond y cyfan yr oedd yn rhaid i mi ei wneud oedd codi'r ffôn a dweud, 'Cambrian Garage os gwelwch yn dda'. Un tro, cododd un o'r hogiau'r ffôn gan ddweud: 'Gwranda ar Mrs Jones yn clustfeinio ar yr alwad yma!' Atebodd Mrs Jones yn syth nad oedd yn gwrando, ac na fyddai byth yn gwrando!

Wrth sôn am Garej Cambrian, cofiaf i'r perchennog

ddweud wrthyf ryw dro ei fod wedi gyrru bil i ryw hen wag yn y dref a oedd yn cau talu'r arian dyledus. Ar ôl blwyddyn, gyrrodd y perchennog fil arall, ac ysgrifennu arno: 'Mae'r bil yma yn un oed heddiw.' Daeth ateb yn ei ôl i'r garej – 'Pen-blwydd hapus i chi'.

Roedd trigolion Blaenau Ffestiniog a'r ardal yn rhai arbennig o dda am fathu llysenwau. Cafodd gŵr a elwid yn Guto Moch waith rhyw Nadolig mewn groto yn chwarel Llechwedd a newidiwyd ei lysenw wedi hynny – ei enw newydd oedd Guto'r Groto. Gelwid un a fu ar ei wyliau yn Llundain yn *City Lights*, a bu *Charlie Chaplin* – dyn a oedd yn gwisgo fel y diddanwr – yn arwain y carnifal am flynyddoedd. Collodd Wil 18 mis hanner ei glust mewn damwain – '*an 'ear and a half* oedd ganddo ar ôl! Cofiaf sawl llysenw ffraeth arall hefyd – ond ni allaf eu cynnwys yn y llyfr hwn rhag i chi wrido!

Rhaid gorffen hanes fy nghyfnod yn y Blaenau ar nodyn trist. Ym mis Ebrill 1963 cawsom ein galw i dŷ yn y Morfa yn Harlech, oherwydd bod dyn wedi'i saethu ei hun gyda gwn dwy faril. Bu'n rhaid galw ditectifs y CID o Gaernarfon.

Roeddwn yn sefyll yn nrws ffrynt y tŷ am bedwar o'r gloch y bore yn aros amdanynt pan welais gerbyd y CID yn cyrraedd. Nodais y ffaith yn fy llyfr nodiadau. Daethpwyd i'r canlyniad mai achos o hunanladdiad ydoedd, ac euthum adref i Blaenau, ac i fy ngwely. Am 6.30 y bore, galwodd un o'm cyd-weithwyr acw gyda'r newyddion trist fod fy nhad wedi marw yn Ysbyty Walton, Lerpwl – ie, am bedwar o'r gloch y bore hwnnw. Un dyn yn lluchio ei fywyd i ffwrdd a Nhad yn ymladd i aros yn fyw.

Yn 1965 cefais fy newis i fynychu cwrs ditectif yn Wakefield (yn y West Riding fel y'i gelwid yr amser hynny), gan adael y Blaenau gyda'r trên am y tro cyntaf. Bishops Garth oedd enw swyddogol yr ysgol, sef hen gartref Archesgob

Wakefield. Roeddwn wedi cael fy newis i fynychu'r cwrs gan fy mod wedi delio â nifer o achosion difrifol, yn cynnwys datrys troseddau a llofruddiaeth, ac ar fin cael fy nyrchafu'n dditectif.

Roedd y gwersi o safon uchel ac roedd cryn ddadlau ar y pryd pa un oedd y coleg ditectif gorau yn y wlad – Hendon, coleg y Metropolitan yn Llundain, ynteu Coleg Wakefield. I Wakefield y byddai heddweision gogledd Cymru yn cael eu hanfon. Roeddwn yn aros gyda phedwar ditectif arall o wahanol siroedd Lloegr yn Ossett, dair milltir o'r Coleg, yn cysgu yn atig hen ficerdy. Roedd y bwyd yn ardderchog ac roedd y lletywraig fel mam inni. Yn cydredeg â'r cwrs yr oeddwn i arno roedd cwrs i heddweision o'r Gymanwlad, ac roeddem yn cymdeithasu tipyn â hwy. Deuthum yn gyfeillgar gyda dau yn arbennig – roedd Mustaff (gŵr a chanddo lais fel Mario Lanza) yn dod o Gibraltar, Sbaen, a'r llall, George Villiers, o Ynysoedd Mauritus, Môr yr India. Roeddem yn mynychu tafarnau yn y dref gyda'r nos – Mustaff yn canu opera, George yn canu caneuon Ffrengig a finnau, fel rheolwr arnynt, yn canu 'Calon Lân' neu 'Myfanwy' ambell dro, allan o diwn. Roeddem yn boblogaidd iawn ac yn cael ein cwrw am ddim. Wedi i ni orffen canu, byddai rheolwyr y tafarnau bob amser yn holi a fuasem yn dod yn ôl yno'r noson ganlynol!

Un penwythnos es â'r ddau adref i Blaenau ac roeddent wedi'u syfrdanu wrth weld yr holl lechi. Byddai bachgen bach o'r enw Keith (sydd erbyn hyn yn daid, yn byw yn Stoke-on-Trent ac yn dreifio lorïau trwm) yn mynd i wneud neges i Helen, fy ngwraig, ar y pryd. Dywedwyd wrth Keith fod 'na ddyn tywyll ei groen yn dod i aros dros y penwythnos, a bod gwahoddiad iddo ddod i'w gyfarfod. Roedd gennym dŷ heddlu gweddol grand yn Wynne Avenue, gyda ffenestr fae yn yr ystafell ffrynt. Roeddem i gyd yn cael paned o goffi pan ddaeth tua saith o bennau bach i edrych drwy'r ffenestr ar George – nid oedd y plant lleol wedi gweld dyn croenddu o'r blaen! Galwais arnynt i ddod i mewn, a dyma nhw'n sefyll o'n blaenau mewn hanner cylch. Gofynnais iddynt ganu cân, ac ar unwaith daeth 'Iesu tirion gwêl yn awr . . .' o'u genau. Roedd George wedi gwirioni'n lân.

Wedi iddo orffen y cwrs nid oedd George yn edrych ymlaen at fynd adref, oherwydd roedd wedi cael dyrchafiad i fod yn Ddirprwy Brif Gwnstabl Ynysoedd Mauritius. Roedd y Prif Gwnstabl yn aros ar yr ynys fawr a'r Dirprwy yn symud i'r ynys fechan. Ar ôl iddo ymddeol daeth yn Geidwad y Porthladd ym Mhort Louis, prifddinas ynys Mauritus. Mae wedi ymddeol yn llwyr erbyn hyn a byddaf yn derbyn cerdyn Nadolig lliwgar iawn o luniau adar bob blwyddyn ganddo.

Llun clawr Adroddiad Blynyddol Awdurdod Heddlu Gogledd Cymru 1997-98. Dewisais lun Blaenau Ffestiniog, tref sydd yn annwyl i mi o hyd.

Pennod 6

Caergybi
1965

Yn Hydref 1965 cefais fy apwyntio'n dditectif gwnstabl, a bu'n rhaid i mi symud i fyw i Gaergybi. Nid oedd symud i swydd newydd gyda'r CID a byw yn Sir Fôn yn gyfnod hapus iawn yn fy mywyd. Fel y dywedais ynghynt, roedd fy ngwraig yn wylo wrth adael y Blaenau, ac o fewn blwyddyn a hanner roeddwn wedi bod yn yr ysbyty ddwywaith gydag *asthma*, torrodd Helen ei ffêr a threulio cyfnod mewn plastar, aeth y gwely ar dân, cawsom frics drwy ffenestr ein hystafell wely, lluchiwyd wyau ar ben y car, ac yn y blaen! Cyfnod digalon, fel y gallwch ddychmygu.

Ond rhaid oedd dygymod â'm swydd newydd. Am y tro cyntaf, roeddwn yn mynd i'r gwaith yn fy nillad fy hun; ac roeddwn yn delio'n ddyddiol â throseddau megis byrgleriaeth a llofruddiaeth. Yn ogystal, bu'n rhaid i mi fynychu cwrs yn Lerpwl ar gasglu olion bysedd.

Er nad oeddwn yn hapus iawn yng Nghaergybi, alla' i ddim gwadu bod hwyl i'w gael yno, a chymeriadau difyr hefyd. Roedd un o blismyn y dref wedi syrthio mewn cariad gyda nyrs o'r ysbyty lleol, ac yn chwilio am unrhyw esgus i fynd i'w gweld – er enghraifft cynnig mynd i'r corffdy i nôl rhyw ddillad. Gan weld ei gyfle, sleifiodd un arall o'r hogiau yno o'i flaen, gorwedd ar y slab a thynnu cynfas wen drosto'i hun. Pan ddaeth ein cyfaill i mewn cododd y boi ar y slab i fyny yn ara' deg oddi tan y gynfas, ac yn ei ddychryn, trawyd ef ar ei ben gyda phastwn!

Cofiaf ymweld â thŷ moethus ym Mae Trearddur – roedd rhywun wedi torri i mewn a lladrata. Dwy ddynes oedd yn byw yn y tŷ, ond gwelais fod sedd y toiled wedi cael ei chodi, a chofio'r jôc honno am y *Mother Superior* mewn lleiandy yn panicio! Felly, aethom i chwilio am olion bysedd o dan sedd y toiled. Fel yr oeddwn wedi amau, darganfuwyd rhai, ac fe ddaliwyd y lleidr. Cefais fy nghymeradwyo am fy ngwaith gan Gadeirydd y Fainc pan ddaeth yr achos o flaen y llys – un o'r deg cymeradwyaeth swyddogol, neu *Commendation,* a gefais yn fy ngyrfa!

Rhyw fore Sadwrn, cawsom alwad gan Wyliwr y Glannau i ddweud bod llong wedi'i hangori allan yn y bae, ac ar ei bwrdd roedd dyn anghyfreithlon, neu *stowaway,* a oedd wedi hwylio o Lerpwl heb hawl i wneud hynny. Rhaid oedd mynd at y llong mewn cwch bach gyda'r swyddog, ac ar ôl cyrraedd y llong fawr, uchel, taflwyd y *Jacob's ladder* drosodd. O, Mam bach, roeddwn ofn am fy mywyd wrth orfod dringo i fyny, a'r ysgol ysgafn yn ysgwyd o ochr i ochr – roedd storm ym Mae Biscay yn dod i'r co'! Wedi dringo i'r llong yn saff a chyfweld â'r Capten, cefais wybod bod y boi bach yma wedi mynd ar fwrdd y llong i gael parti gyda'i gyfeillion cyn mordaith i Frasil, a'i fod wedi meddwi a'i ffrindiau wedi'i gloi mewn cwpwrdd. Felly rhaid oedd ei gludo i'r lan. Roedd mynd i lawr y *Jacob's ladder* yn waeth fyth, a'r cwch i'w weld fel smotyn bach oddi tanaf. Mae corau meibion yn canu'r gân '*When I'm climbing Jacob's Ladder*' yn aml – pe baent yn gorfod dringo un go iawn, 'dw i'm yn meddwl y buasent yn canu'r gân byth wedyn!

O gwmpas yr un adeg, cafwyd gwybodaeth gan blismon Aberffraw bod dau dditectif o heddlu Sir Nottingham wedi dod i'r pentref er mwyn arestio dyn oedd newydd ddod gartref i'r pentref ar ôl bod yn byw yn nhref Nottingham am gyfnod. Ar ôl iddo fynd i'r ddalfa yn Nottingham, cysylltodd aelod o'r teulu â Gorsaf Heddlu Caergybi i ddweud mai hi oedd wedi gyrru'r cyfaill yma i Sir Fôn o Nottingham, a'i fod wedi gofyn iddi stopio'r car rhwng Cefncwmwd a Bethel. Aeth allan o'r car a lluchio sach dros wal yr ochr chwith i'r lôn cyn cyrraedd Bodorgan. Aethom yno i chwilio am y sach, a chael hyd iddi yn yr union fan a ddisgrifiwyd i ni. Cludwyd y sach, a oedd yn drewi braidd, i Orsaf Heddlu Caergybi lle darganfuwyd ei bod yn llawn o ddarnau o leino. Pan ddaeth yr achos i Lys y Goron yn Nottingham, datgelwyd stori'r leino.

Roedd y gŵr wedi gwasanaethu gyda'r Fyddin yng ngwersyll Tŷ Croes, wedi priodi merch leol ac wedi mynd i fyw i Nottingham. Ymhen sbel, bu iddynt benderfynu dod adref i Sir Fôn i fyw – daeth y wraig gyntaf gan adael ei gŵr yn Nottingham i glirio, gwerthu'r tŷ ac yn y blaen. Yn ystod y cyfnod hwn roedd deintydd wedi ymddeol yn pysgota ar afon Trent. Bachodd sach gyda'i wialen, ac wedi ei thynnu allan o'r dŵr darganfu bod darnau o gorff dynol ynddi. Roedd ein cyfaill o Sir Fôn wedi bod allan gyda phutain ac yn ystod dadl am arian roedd wedi'i lluchio allan o'r car. Tarodd y ferch ei phen ar y palmant, yn ôl y gŵr, a doedd hi ddim yn anadlu, felly aeth â hi i'r tŷ. Yn ei dystiolaeth i'r llys, dywedodd ei fod yn credu ei bod hi wedi marw. Aeth ati i dorri'r corff yn ddarnau, rhoddodd hwy mewn sachau a'u taflu i'r afon. Beth oedd yn sach Sir Fôn? Y leino oddi ar lawr cegin y tŷ lle'r oedd wedi torri'r corff. Bu'n rhaid i mi fynd i Lys y Goron, Nottingham i roi tystiolaeth i'r perwyl yma. Roedd yn ddieuog o lofruddiaeth, ond fe'i cafwyd yn euog o ddynladdiad a chafodd ei ddedfrydu i bedair blynedd o garchar. Arhosais y noson honno mewn tafarn yn Nottingham, ond roedd y gwely'n damp. Cysgais ar y sofa, rhag ofn.

Byddai CID Caergybi yn cydweithio'n aml gyda'r Fyddin, yr Adran Archwilio Arbennig a'r SAS ar achosion troseddol megis milwyr yn gadael y Fyddin heb ganiatâd, neu fynd

AWOL. Cawsom wahoddiad i fynd i bencadlys y Fyddin yn Ashford, Sir Kent, er mwyn cael gwell dealltwriaeth rhyngom. Cawsom letya yn stafelloedd y prif swyddogion – moethus iawn. Ond roedd y gweithgareddau a'r ymarfer roedd y milwyr newydd, ifanc yn gorfod eu gwneud yno yn erchyll! Roedd ganddynt enghreifftiau o wifrau pigog o wahanol wledydd y byd, a'r gorchymyn oedd mynd dros, dyweder, weiren bigog Iran neu Balesteina, yn yr amser cyflymaf bosibl. Roeddem yn gallu gweld bod breichiau a choesau rhai o'r hogiau yn gwaedu, a hwythau'n dal i geisio mynd tros y gwifrau, er eu bod mewn poen.

Wedi'r sesiynau hyfforddi, byddai'r milwyr ifanc yn cael mentro allan o'r gwersyll ymarfer am beint neu ddau; neu fwy! Ar adegau fel hyn byddai swyddogion y gwersyll yn rhoi cyfarwyddyd i'r heddlu lleol eu harestio ar gyhuddiadau ffug, a'u harwain yn ôl i'r gwersyll o gyfeiriad anghyfarwydd. Byddent yn cael eu rhoi mewn ystafelloedd dieithr iddynt – dull i'w camarwain eu bod mewn adeiladau nad oeddynt wedi'u gweld o'r blaen. Yno, roeddent yn cael eu holi a'u croesholi yn y dull mwyaf creulon, yn union 'run fath ag y buasent hwy yn holi eu carcharorion fel gelynion mewn gwlad estron. Bron na ddywedaf ei fod yn debyg i Fae Guantanamo yng Nghiwba. Gan fy mod wedi arwyddo dogfen o dan y Ddeddf Gyfrinachedd Swyddogol, mae'n siŵr na allaf fanylu ymhellach am y gweithredoedd a welais, ond gallaf ddweud fy mod yn teimlo'n reit sâl ar ôl imi fod yno – roedd yn agoriad llygad. Roedd hyn oll yn gwneud i'r dulliau yr oeddem yn eu defnyddio ar Ynys Cyprus a Chaergybi ymddangos yn ddiniwed iawn, a dweud y gwir. Wedi dweud hynny, roedd si bod un heddwas yn Llandudno yn gwisgo fel offeiriad o'r Eglwys Gatholig pan fyddai yna Wyddel yn un o'i gelloedd, a gofyn iddo a oedd eisiau cyffesu'r troseddau yr oedd wedi'u cyflawni, a chynnig tair *hail Mary* iddo! Cyfrwys iawn...

Roeddwn yn gwarchod yr Arglwydd Cledwyn Hughes pan agorodd gronfa ddŵr Llyn Alaw yn Sir Fôn yn 1966. Roedd y derbyniad swyddogol a'r bwyd yn cael ei gynnal yn Ysgol Thomas Jones, Amlwch. Tua hanner ffordd drwy'r wledd dyma Cledwyn, a oedd ar y pryd yn Ysgrifennydd Gwladol Cymru, yn cael ei alw at y ffôn. Roedd wedi cynhyrfu'n lân ar ôl derbyn yr alwad. Dywedodd wrthyf fod hofrennydd yn dod i'w gyrchu ymhen rhyw bum munud, gan lanio ar gae'r ysgol. Roedd yn mynd ag ef yn syth i Aberfan, lle'r oedd tomen o wastraff glo wedi llithro i lawr llethrau'r bryn. Mae'n rhyfedd o beth bod rhywun yn cofio'r fan, y lle a'r amser pan fo trychinebau mawr yn digwydd.

Yn 1966, yn ystod fy nghyfnod yng Nghaergybi, agorwyd Llyn Celyn, Tryweryn, yn swyddogol. Roedd achlysuron fel hyn yn rhai anodd i mi – yn blismon ar un llaw a Chymro ar y llall. Roeddwn yno ar ddyletswydd o CID Caergybi yn fy nillad fy hun, yn gyfrifol am gadw trefn, nodi pwy oedd yn protestio a rhoi eu henwau i'r Gangen Arbennig. Hoffwn gynnig eglurhad, neu reswm, pam y symudodd y dorf a oedd yn protestio ar yr argae, gan redeg i lawr i'r rhandir lle'r oedd y derbyniad swyddogol, a'r gwahoddedigion – cynrychiolaeth o'r llywodraeth ganolog, Cynghorwyr Dinas Lerpwl a chontractwyr oedd wedi bod yn gweithio ar y llyn – yn ymgynnull.

Mae'n debyg mai'r Prif Gwnstabl, y Col. William Jones-Williams, oedd yn gyfrifol am y llanast a'r anhrefn a ddigwyddodd wedyn. Roedd wedi addo i arweinwyr y brotest, Gwynfor Evans, Llywydd Plaid Cymru ac R. O. F. Wynne, Garthewin, y byddent yn cael mynd i mewn i'r ddau fws oedd yn cario'r gwahoddedigion ar hyd yr argae, a rhoi pamffledi iddynt, ond pan welodd y Prif Gwnstabl bod y dyrfa mor lluosog, dechreuodd bryderu ynglŷn â'r sefyllfa. Anfonodd heddwas ar ei feic modur i gwrdd â'r ddau fws gan roi gorchymyn iddynt osgoi mynd i fyny dros yr argae; yn hytrach, anfonodd hwy yn syth i lawr i'r dderbynfa yn y gwaelod. Pan welodd y protestwyr beth oedd yn digwydd, roeddent yn teimlo eu bod wedi cael eu twyllo, a dyma nhw'n rhedeg i lawr y bryn (gan fy atgoffa o ffilmiau cowbois ac indians erstalwm!) a chymysgu gyda'r gwahoddedigion. Roedd hi'n anodd yn awr gweld pwy oedd yn protestio a phwy oedd yno ar wahoddiad Cyngor Dinas Lerpwl. Roeddwn yn digwydd sefyll mewn pabell pan ddaeth y diweddar Barchedig Brifardd Gwyndaf Evans, yn gwisgo ei het Anthony Eden, ataf a dweud wrthyf: 'Tynna'r wifren yna allan, fel na all neb glywed beth mae Arglwydd Faer Lerpwl yn ei ddweud drwy'r corn siarad.' Roeddwn wedi bod yn gyn-aelod gyda Gwyndaf yn Eglwys yr Annibynwyr, Deganwy Avenue, Llandudno ac roeddem yn ffrindiau agos. Fy ateb pendant oedd dweud wrtho fy mod ar ddyletswydd gyda'r heddlu. Welais i ddim beth ddigwyddodd, ond rwyf o'r farn hyd heddiw mai Gwyndaf dynnodd y wifren, ac o ganlyniad chlywodd bron neb beth oedd cynnwys araith Maer Lerpwl.

Ar ôl i'r cyfarfod cyffrous ddod i ben, roedd fy nghyfaill, y Ditectif Dafydd Nicholas, a minnau yn gorfod teithio i Bolton i ddilyn cwrs undydd ar sut i ddefnyddio ffrwydradau. Roeddem ill dau yn aros mewn gwesty, wel, tafarn a dweud y gwir, ac yn y bar gwelsom newyddion deg o'r gloch ar y teledu. Darlledwyd lluniau o'r cyfarfod yn Nhryweryn ar y rhaglen, ac edrychodd Dafydd a minnau ar ein gilydd pan ddangoswyd llun o'r canopi yn cael ei dynnu i lawr a Gwyndaf a minnau oddi tano! Dyma'r dyn tu ôl i'r bar yn edrych ar y lluniau ac yna edrych arnom ninnau – roeddem yn sicr ei fod wedi ein hadnabod!

Ar ôl cael cyngor gan yr arbenigwr o Ysbyty Lerpwl fod Caergybi yn lle afiach i mi fyw ynddo, rhaid oedd symud.

Diwrnod olaf y Prif Gwnstabl William Jones-Williams, Ionawr 1970. Rydw i ar y chwith yn y cefn, Gwyn Owen sydd nesa ata' i ac Arthur Rowlands i'r dde ohono fo. Mae Phillip Myers i'r chwith o'r Prif Gwnstabl yng nghanol y rhes flaen.

Rhywbeth arall a ddywedodd wrthyf oedd bod gen i waed Romani yn fy ngwythiennau. Ar ôl dod adref dwedais hyn wrth Mam, a'r cwbl a ddywedodd oedd: 'O, ia, rydan ni'n dod o deulu Abraham Wood'. Grêt, meddyliais innau, ar ôl ymddeol o'r Heddlu caf fynd o amgylch y wlad i werthu pegiau neu ddweud ffortiwn!

Yn 1967 cefais fy symud i Wrecsam i weithio fel rhan o'r *Regional Crime Squad*. Dyma waith diddorol iawn. Y syniad oedd cael tîm o dditectifs i deithio'n gyflym o un rhan o'r wlad i'r llall, heb ffiniau, megis, i ddatrys y troseddau mwyaf difrifol. Pump ohonom oedd yn yr adran – yr Arolygwr Tom Thomas, dau Ringyll, sef Jack *Spangles* Jones a Glyn Davies, Cwnstabl Ron Todd a mi. Doedd dim llawer o waith papur nac ymddangosiadau mewn llysoedd barn. Cadw allan o'r golwg oedd y nod. Dysgais lawer o driciau newydd – fel cario pram ar dop y car i wneud i bobl feddwl mai car teulu oedd cerbyd yr heddlu; dro arall byddai'n rhaid i un ohonom wisgo wig felen er mwyn smalio bod yn ddau gariad. Y dasg oedd gwylio'r deg troseddwr mwyaf difrifol o amgylch Caer a Manceinion gan eu dilyn am wythnosau – efallai bod atal troseddau llawn cystal â'u datrys, mewn ffordd. Pe byddai un o'r rhai yr oeddwn yn eu dilyn yn cael eu hamau o unrhyw drosedd yn yr ardal, roeddwn yn gallu cadarnhau ei symudiadau yn syth.

Cafodd y Rhingyll Jack Jones (a elwid yn Jack *Spangles* oherwydd ei hoffter o'r melysion hynny pan yn blismon ifanc) a minnau ein galw o Wrecsam i Fangor yn 1967 – bu llofruddiaeth yn Elm Bank, Ffordd Siliwen. Roedd gwraig oedrannus wedi cael ei llofruddio, ac arestiwyd dyn o Borthaethwy o'r enw Arthur Phillip Wynne. Fy nhro i oedd hi i'w holi am tua dwy awr yn ystafell y CID yng ngorsaf heddlu Bangor. Roeddwn yn eistedd wrth y ffenestr ac yn edrych i lawr i'r ystafell fwyta, a bob yn hyn a hyn roedd yr Uwch Arolygwr, y diweddar John Hughes, yn dod i'r ffenestr ac yn codi ei fawd, a minnau yn dal fy mawd i lawr. Dywedodd Arthur Wynne wrthyf ei fod yn adnabod fy nhad yn iawn, roedd wedi gweithio ar yr *HMS Conway* yn golchi llestri pan oedd fy nhad yn Brif Stiward arni. Dywedodd Arthur Wynne: 'Os gwnaf i gyffesu i ladd yr hen wraig, i chdi y gwnaf hynny.'

'Iawn, tyrd, cyffesa'r drosedd i mi,' meddwn wrtho.

'Na,' meddai, 'rhaid disgwyl am ganlyniad o'r Labordy Fforensig yn gyntaf.'

Drannoeth daeth y canlyniad i law, a John Hughes wnaeth y datganiad mai Arthur Wynne oedd wedi lladd yr hen wraig. Cafodd garchar am oes, ond fe'i rhyddhawyd yn

1979. Pan oeddwn yn gweithio yn y Pencadlys ym Mae Colwyn yn 1980 bu'n rhaid i mi gynorthwyo'r ditectifs yn Llandudno – roedd Arthur Wynne wedi lladd merch 23 oed o'r enw Eirlys Roberts o Hen Golwyn ar Fedi'r 6ed. Gwnaethpwyd rhaglen deledu amdano yn ddiweddar, gan honni ei fod dan amheuaeth o lofruddio dynes arall hefyd, gwraig o'r enw Frida Jones o Stryd Menai, y Felinheli, fis Rhagfyr 1949. Cafodd ei garcharu am yr eildro am y llofruddiaeth yn Llandudno, ond cafodd ei ryddhau eto yn 2004. Mae'n 85 oed erbyn hyn ac yn byw yn Sussex. Rhyfedd o fyd!

Tua'r un amser, yn 1967, bu achosion o ffrwydradau yng Nghymru a thros y ffin yn Lloegr – rhai ohonynt yn Llanrhaeadr, yn y Deml Heddwch yng Nghaerdydd a Swyddfa'r Dreth yng Nghaer. Y nodwedd bwysicaf am y ffrwydradau hyn oedd bod pwy bynnag oedd yn gyfrifol amdanynt yn ofalus iawn nad oedd neb yn cael ei anafu na'i ladd. Yn fy marn i, camgymeriad gan Swyddfa Gartref Cymru yng Nghaerdydd oedd penodi'r Gangen Ranbarthol Troseddau Difrifol yn Abertawe i ymchwilio i'r ffrwydradau yma gan mai yn y gogledd y cafwyd y rhan fwyaf o'r bomiau. Cefais fy newis fel cyswllt o'n cangen ni yn Wrecsam i gydweithio â'r gangen o Abertawe; hynny yw, eu tywys o amgylch y gogledd, dangos iddynt lle bu'r ffrwydradau a lle'r oedd rhai a oedd yn cael eu hadnabod fel eithafwyr yn byw.

Roedd y bois o'r de yn mynd o amgylch y gogledd heb lawer o lwyddiant. Wrth archwilio safle un bom mewn clwb yfed ym Mhenisa'r-waun ym mis Mai 1968 darganfuwyd darn bychan iawn o sgriw a oedd wedi dod o *Vennar time switch*. Cafodd y clwb ei dargedu am nad oedd lleoliad yr adeilad yn addas i bentref cefn gwlad – a bod y perchennog yn Sais!

Rhaid oedd ymweld â ffatri'r gwneuthurwr yn Swindon i

gael switch *Vennar* newydd er mwyn medru ei ddangos i'r llys pe byddai angen iddynt gael gweld o le'r oedd y sgriw wedi dod yn ystod unrhyw achos. Wedyn euthum i Lundain i holi dyn a oedd yn gwerthu hen *Vennar switches* yn yr *Exchange and Mart* a chael ganddo gyfeiriadau pobl o ogledd Cymru a oedd yn eu prynu. Wel, dyna ddechrau da!

Bu i mi ymweld â lleoliad pob un ffrwydrad yn y gogledd a sir Gaer gyda'r swyddogion o Abertawe a phenaethiaid CID sir Gaer a Gogledd Cymru. Roedd y sefyllfa yn mynd yn fwy cyffrous ar ôl pob digwyddiad, a neb yn cael ei ddal. Roedd Byddin Rhyddid Cymru yn cymryd y clod ar ôl pob ffrwydrad, ond nid oeddent mewn gwirionedd yn gwybod beth oedd yn digwydd. Rwy'n cofio ffonio Cayo Evans, y pen clown, a dweud wrtho fod bom wedi ffrwydro yng ngwaith dur Port Talbot. A'i ateb? '*Yes, yes, that's one of ours!*' Wrth gwrs, dweud anwiredd oeddwn i!

Chwythwyd peipen ddŵr yn Llyn Efyrnwy ym Mai 1968; daeth Mehefin 1968 â ffrwydrad arall ar beipiau dŵr y tro hwn yn Hapsford, Sir Gaer.

Rhywdro ym mis Awst 1968 derbyniais alwad ffôn gan y Prif Gwnstabl William Jones-Williams o Gaernarfon yn gofyn i mi fynd i'r Amwythig i swyddfa oedd yn cael ei hagor ar yr ail o Fedi gan Gangen Arbennig New Scotland Yard, Llundain. Gofynnais am le i aros yn y dref, ac oherwydd mai ystafell mewn hostel i ddynion sengl oedd yn cael ei chynnig i mi, gwrthodais. Daeth y Prif Gwnstabl yn ôl ataf a dweud y buaswn yn cael teithio'n ddyddiol o Wrecsam i'r Amwythig a'r Heddlu yn talu pris y trên; er mwyn i mi gael byw gartref. Dyma sialens i'm cydwybod – a finnau'n hen aelod o Blaid Cymru heb lawer i'w ddweud wrth y teulu brenhinol. Pe bawn yn gwrthod eto, efallai y buaswn yn cael fy amau o fod yn wleidyddol (er fy mod wedi troi cefn ar y Blaid ers dyddiau Cyprus), neu byddai'r awdurdodau yn meddwl bod rhywbeth arall mwy sinistr ynglŷn â'r sefyllfa. Ni allwn fyth, ar y pryd, fod wedi fforddio ymddiswyddo – roedd Helen yn disgwyl ein plentyn cyntaf ac nid oedd gennym dŷ, felly penderfynais fynd. Gwaith oedd hwn wedi'r cyfan; tra oeddwn yn yr Heddlu nid oedd gennyf ddiddordeb mewn gwleidyddiaeth, er fy mod yn deall safbwynt fy nghyd-Gymry.

Swyddogaeth Swyddfa'r Gangen Arbennig oedd 'casglu gwybodaeth, cadw a recordio personau dan amheuaeth gyda daliadau eithafol neu wrth-arwisgo'. Roedd y swyddfa newydd hon wedi ei chreu gan Ysgrifennydd Gwladol Cymru ar y pryd, George Thomas; gan nad oedd yn ymddiried yn heddweision Cymru. Ond, yn fy marn i, y rheswm am hyn oedd gan nad oedd cangen *Crime Squad* Abertawe wedi medru dal y rhai a oedd yn gyfrifol am y ffrwydradau. Felly, yr ateb oedd creu swyddfa wleidyddol, y tu allan i diriogaeth Cymru, gyda chysylltiad rheilffordd â Llundain, dim Cymro na Sais yn bennaeth, ond yn hytrach Sgotyn; yr Uwch Swyddog Jock Wilson.

Roedd Amwythig yn lle delfrydol gan fod trenau i Lundain yn mynd drwy'r dref, a hefyd yn ddigon agos i Aberystwyth lle'r oedd y Tywysog Charles am dymor yn dysgu Cymraeg. Mewn atig uwchben Gorsaf Heddlu'r West Midlands, Swan Lane, Amwythig oedd y swyddfa. Roedd iddi dair ystafell – un i Jock Wilson a'i ddirprwy Bob Bryan, dyn y mae gennyf barch mawr iawn iddo, a oedd hefyd yn uwch swyddog yng Nghangen Arbennig Heddlu'r Metropolitan. Yn yr ystafell ganol roedd y Rhingyll Ray Kendal (gradd mewn Ffrangeg o Rydychen) a ddaeth yn ddiweddarach yn bennaeth ar Interpol yn Geneva. Y drydedd swyddfa oedd y Swyddfa Gymreig, lle gweithiai pedwar heddwas, pob un yn cynrychioli un o heddluoedd Cymru. Roeddwn i yno yn cynrychioli Heddlu Gogledd Cymru, yr unig un a oedd yn medru'r Gymraeg.

Roedd y diwrnod cyntaf yn fy swydd newydd yn ddiwrnod i'w gofio yn siŵr. Cyrhaeddais yr Amwythig am naw o'r gloch y bore a chyfarfod ein cydweithwyr – roedd pawb ond Jock Wilson yn bresennol. Ar ôl rhyw ddwyawr dywedodd Uwch Swyddog o Ddyfed Powys fy mod i fynd gydag ef yn y car i dde Cymru. Roedd yn gyrru'n gyflym iawn, a deallais pam pan ddywedodd wrthyf ein bod yn mynd i Ben-bre ger Llanelli, a bod eisiau cyrraedd yno o flaen Jock Wilson, a oedd ar ei ffordd yno o Lundain. Roedd ffrwydrad wedi bod yng ngwersyll yr Awyrlu Prydeinig, ffrwydrad a achosodd i aelod o'r Awyrlu golli ei law. Roedd Prif Gwnstabl Heddlu Dyfed Powys yno, a gwelais awyren fechan ddwy sedd yn glanio ar y traeth gerllaw. Pwy ddaeth allan ohoni? George Thomas, Ysgrifennydd Gwladol Cymru! Dyma'r tro cyntaf i mi ei gyfarfod, a'r tro cyntaf hefyd i mi gyfarfod Jock Wilson – fy mos newydd. Treuliais y tridiau canlynol gyda Heddlu Dyfed Powys yn ardal Llanelli, yng nghwmni fy mhartner newydd, y Ditectif Roy Davies (y diweddar erbyn hyn; ac awdur llyfrau am weithgareddau'r heddlu yn y de). Daeth y ddau ohonom i ddeall ein gilydd yn iawn – y ddau ohonom yn anghydweld â'r swyddogion hynny y tu allan i'r dalgylch nad oeddynt yn gwrando ar ein barn. Yr arferiad ar ôl ffrwydrad, bryd hynny, oedd ymweld â thai aelodau o Fyddin Rhyddid Cymru a'u harchwilio yn drylwyr. Cefais y profiad o ymweld ag un o'r arweinwyr, Dennis Coslett, yn hwyr iawn un noson – daeth i'r drws yn gwisgo iwnifform y FWA gyda chi mawr gwyn wrth ei ochr. Roedd ei gartref mewn lle anghysbell iawn, ac aethpwyd ag ef i orsaf yr heddlu yn Llanelli. Wrth fynd gydag ef i'r tŷ bach, tynnodd ei lygad ffug allan o'i lle a dangos i mi mai dim ond un llygad oedd ganddo. Wedi cael damwain yn y lofa oedd o, medda fo – dyna'r pris roedd y werin yn ei dalu am lo. Anghofia' i fyth y llygad ffug hwnnw yn edrych arna' i o'r basn! Cafodd Coslett a'i gyfeillion eu harestio am wisgo iwnifformau'r FWA, ond nid am unrhyw ffrwydrad.

Chwaraeodd Roy Davies dric arnaf un diwrnod. Roeddem yn Llandeilo a'r ddau ohonom eisiau mynd i'r banc. 'Aros di yn y car,' meddai, 'i wrando ar y radio. Mi af i i mewn gyntaf.' Pan ddaeth fy nhro i i fynd i'r banc, dywedais wrth y clerc fy mod o Wrecsam, fy mod angen codi arian parod, a bod gennyf gyfrif gyda Banc y Midland. Galwyd y rheolwr o'i swyddfa, a gofynnwyd imi eistedd i lawr am ychydig. Doeddwn i ddim yn siwr iawn beth oedd yn bod, a theimlwn fod staff y banc yn edrych arnaf yn amheus braidd. Ar hynny daeth Roy yn ei ôl – roedd wedi dweud wrth y staff bod dyn amheus o Wrecsam yn yr ardal yn ceisio cael arian o fanciau trwy dwyll, a bod yr heddlu ar ei ôl!!

Cefais ddychwelyd adref i Wrecsam – ac er fy mod wedi gorfod prynu brwsh dannedd a sebon tra oeddwn ymaith, doeddwn i ddim wedi newid fy nillad ers pedwar diwrnod! Bu'n rhaid i mi egluro i'm gwraig nad gwaith swyddfa yn unig oedd yr alwad i'r Amwythig, ond bod rhaid bod yn weithredol o dro i dro!

Pennod 7

Yr Arwisgiad 1969

Roedd y swyddfa'n brysur iawn yn ystod y naw mis cyn yr Arwisgiad ar 1af Gorffennaf, 1969, ac roedd manylion am bawb a oedd i fod i fynychu'r castell y diwrnod hwnnw yn cael eu gwirio trwy ein swyddfa ni.

Roeddwn innau wedi cael fy ngwirio hefyd, fel pawb a oedd yn delio â deunydd sensitif, cyfrinachol. Efallai fy mod i wedi cael fy ngwirio yn fwy manwl nag eraill, a dweud y gwir, gan fy mod yn Gymro ac yn delio ag achosion dwys iawn. *6 point vetting* gefais i – llenwi ffurflen gyda manylion fy nghefndir i gychwyn, yna roedd adran ddiogelwch y Gangen Arbennig yn archwilio'r manylion hynny. Gwneud yn siŵr nad oeddwn wedi cyflawni unrhyw droseddau, cyn i mi orfod llenwi ffurflen arall. Scotland Yard oedd yn fy ngwirio wedyn, a'r cam olaf oedd cyfweliad gan Jock Wilson ei hun, lle'r oedd yn iselhau ein cenedl a dweud mai iaith y fynwent oedd yr iaith Gymraeg. Ceisio fy ngwylltio oedd y dacteg wrth gwrs – ond methodd!

Roedd yr iaith Gymraeg yn broblem fawr i Jock Wilson. Fi oedd yr unig Gymro yn y swyddfa, ac felly dim ond fi oedd yn gallu cyfieithu erthyglau a phapurau fel *Y Cymro*, *Y Faner* a chylchgronau eraill hollol ddiniwed. Rhaid oedd eu darllen i gyd, ac ar ben hynny, eu darbwyllo nad oedd Merched y Wawr yn fudiad eithafol! Wrth gwrs, roedd swyddogion y Swyddfa Gartref wedi mesur fy ffyddlondeb innau cyn i mi gychwyn yn y swydd.

Rhan o'n gwaith cyn yr Arwisgiad oedd dewis y 30 o bobl a fyddai yn fwyaf tebygol o fod yn fygythiad neu'n beryglus yn ystod y digwyddiad, ac wedyn torri'r rhestr honno i lawr i ddeg – gan greu rhyw fath o restr *most wanted*! Roedd rhaid cadw ffeil ar grancwyr hefyd; sef unigolion a oedd yn fwy tebygol o fod yn niwsans nag o fod yn fygythiad go iawn. Tra oeddem ni'n gwneud y gwaith yma roedd nifer o aelodau Byddin Rhyddid Cymru yn ymddangos yn Llys y Goron yn Abertawe, wedi cael eu cyhuddo o amryw droseddau gwleidyddol – gwisgo gwisgoedd militaraidd ac yn y blaen. Yn rhyfedd iawn, fe ddaeth yr achos hwnnw i ben ar yr un diwrnod a'r Arwisgiad, felly nid oedd nifer o aelodau blaenllaw'r FWA yn gallu bod yn bresennol yng Nghaernarfon. Rhyfedd iawn 'te?

Treuliodd y Tywysog Charles gyfnod eithaf tawel yn Aberystwyth, heb yr un digwyddiad na bygythiad difrifol. Nid ni oedd yn ei warchod – roedd tîm o swyddogion y Gangen Arbennig o New Scotland Yard yn gwneud hynny. Rhyw wythnos cyn yr Arwisgiad, symudwyd cyfran helaeth o weithgareddau swyddfa Amwythig i ystafell y CID yn y Pencadlys ym Maesincla, Caernarfon. Roeddwn wth fy modd, gan fy mod i a Helen yn cael aros adref yn Nisgwylfa, y Felinheli, gyda Mam.

Roedd tipyn o gynnwrf yn y pentref yn ystod y dyddiau cyn yr Arwisgiad, a chryn dipyn o fynd a dod. Yn Stad y Faenol y cedwid ceffylau'r fyddin, ac roeddynt yn cerdded drwy'r Felinheli i Gaernarfon ar gyfer y rihyrsal ac, wrth gwrs, yr Arwisgiad ei hun. O ganlyniad, roedd trigolion y Felinheli allan gyda'u rhawiau a'u bwcedi yn casglu'r tail – cafwyd tomatos a rhosod bendigedig y flwyddyn honno!

Yn fy ngwaith bob dydd, roeddwn yn ymwybodol iawn fod carfan o Gymry Cymraeg yn wrthwynebus iawn i'r Arwisgiad, ond yn y Felinheli, theimlais i ddim atgasedd personol yn f'erbyn am fod yn rhan o'r paratoadau. I'r gwrthwyneb – roedd fy nghyn-gymdogion a'm cyfeillion yn ymfalchïo fod hogyn lleol yn cael mynd i'r castell yn ystod y seremoni. Cefais gyflwyno fy nheulu a'r hogia i Jock Wilson, ac roedd dipyn o gynnwrf yn y pentref wrth i'r trefniadau ddod at eu terfyn.

Operation Cricket oedd ein cod am yr Arwisgiad, ac roedd gweithgaredd mawr y tu ôl i'r llenni, fel y gallwch ddychmygu, a llygaid Prydain a'r byd ar Gaernarfon. Roedd y diwrnod cyn y seremoni fawr yn un prysur. Yn gyntaf, cefais fy ngalw i gyfarfod yn adeilad *Feed my Lambs* yn y dref, ac yno rhoddwyd pistol a deuddeg bwled i mi gan dîm arfog o New Scotland Yard. Ni chefais holster i ddal y gwn, a heb wybod yn iawn beth i'w wneud ag o chwaith, rhoddais ef y tu fewn i'm briffcês. Wedyn, euthum gyda phawb arall yn syth i'r castell i ymarfer trefn y digwyddiadau. Roedd pawb ond y teulu Brenhinol yno ar gyfer yr ymarfer, yn cynnwys y corau a'r gerddorfa. Yr Arglwydd Snowdon oedd yn cymryd lle'r Tywysog Charles. Yno cwrddais â dau aelod o'r CIA oedd yno i warchod merch Richard Nixon, Arlywydd yr Unol Daleithiau, a gofynnodd un i mi a oeddwn yn cario gwn, ac os felly, a oeddwn yn gwisgo bathodyn. Roedd aelodau'r CIA yn cario gynnau ac yn gwisgo bathodyn arbennig er mwyn i'r heddlu o'u cwmpas wybod eu bod yn arfog. Ar y ffordd allan o'r castell roedd y dorf yn lluosog (rhag ofn bod cyfle iddynt gael gweld rhywun pwysig yn yr ymarferiad) a phan welais fy ngwraig yn sefyll gyda pherthnasau o Lerpwl, penderfynais fynd atynt. Clywais bwt o sgwrs rhwng dwy wraig leol gerllaw, wrth iddynt geisio adnabod y bobl bwysig. Pan welsant fi yn agosáu, gofynnodd un: 'Pwy uffern ydi hwn?' Atebodd y llall: 'O, tydi o'n ddiawl o neb – mae o'n siarad Cymraeg!'

Cyn gadael y swyddfa'r noson honno, daeth y Prif Gwnstabl i mewn a gofyn a oedd rhywun yno yn medru siarad Cymraeg. Codais fy llaw. Cefais y gorchymyn: 'Dewch i ddrws y Pencadlys erbyn hanner awr wedi wyth bore fory.' Y diwrnod mawr!

Ar ôl gorffen gweithio, roeddwn yng nghwmni hogiau'r gangen, yn cynnwys Jock Wilson, yn nhafarn y Garddfôn yn y Felinheli. Efallai ein bod yn yfed ychydig mwy nag y dylem, o gofio beth oedd yn digwydd drannoeth! Tua hanner nos derbyniodd Jock alwad ffôn yn dweud bod ffrwydrad wedi digwydd yn Abergele, a dau wedi'u lladd. Diflannodd Jock i leoliad y ffrwydrad i ymchwilio.

Yn ddiweddarach, y ddamcaniaeth oedd bod y dynion, Alwyn Jones a George Taylor (Alwyn yn aelod o Fudiad Amddiffyn Cymru), ar y ffordd i osod ffrwydrad ar gledrau'r rheilffordd wrth orsaf Pensarn, Abergele. Roeddent yn stelcian y tu ôl i'r Llyfrgell newydd oedd ar ganol ei hadeiladu, ac efallai eu bod wedi baglu ar y rwbel neu'r peipiau rhydd a oedd ar y llawr. Yn ddiweddarach, cawsom wybod bod Frederick Alders, un o'r bomwyr go iawn (mi soniaf am y rhain yn nes ymlaen), yn aros gyda'i gariad mewn llety gwely a brecwast ger yr orsaf. Roedd y trên brenhinol yn pasio'r fan honno cyn y bore, ar ei ffordd i stopio ger gorsaf Porthaethwy. Dywedodd y bomiwr wrth ei gariad: 'Maent wedi rhoi'r *detonator* i mewn i'r *gelignite* a'r cloc heb ei osod!!'

Gwawriodd bore'r Arwisgiad, a chodais gydag ychydig o benmaenmawr ar ôl y noson cynt yn y Garddfôn! Ni fuasai fy mam druan wedi cysgu winc pe bai'n gwybod bod gwn wedi bod yn y tŷ dros nos!

Cyrhaeddais y Pencadlys ym Maesincla am 8.30, yn unol â'r gorchymyn, dringo i mewn i Landrofer gyda'r Prif Gwnstabl, a theithio drwy'r Felinheli, i fyny allt y Faenol ac i mewn i gae ger pont Britannia. Cae fferm Treborth Uchaf ydoedd. Yno eglurodd y Prif Gwnstabl beth oedd yn mynd i ddigwydd: 'Mae'r trên brenhinol rhyw filltir i ffwrdd, ddim yn bell o orsaf Porthaethwy, ac mae'r teulu brenhinol am ddod mewn disel fach at y giât yna'. Roedd nifer o Landrofers yn y cae yn aros amdanynt, a'r bwriad oedd

Llun swyddogol o gyfnod yr Arwisgiad

mynd â'r gwesteion arbennig i blasty'r Faenol am goffi ac i ymestyn eu coesau. 'Eich gwaith chwi, Williams, ydi cadw cwmni i Mrs Sian Williams, gwraig y ffermwr sy'n berchen ar y cae.' Toc dyma'r wraig yn cyrraedd gyda dau o blant – hogyn tua naw oed a'i chwaer fach. Y peth cyntaf a ddywedodd wrthyf oedd: 'Dafydd Iwan ydi'n tywysog ni'! 'O mam bach,' meddwn wrthyf fy hun.

Cyrhaeddodd y trên bach a daeth y teulu brenhinol i gyd, heblaw'r Tywysog Charles, allan. Roedd sôn ei fod o wedi teithio o Aberystwyth i gyfarfod y trên mewn Mini! Ar y blaen roedd Dug Caeredin gyda chamera yn ei law, yn tynnu lluniau ffwl sbîd. Aeth y Prif Gwnstabl atynt, a thynnodd ei het fowler. Dywedodd wrth y Frenhines mai cae Mrs Williams oedd hwn, ac atebodd hithau y buasai yn hoffi ei chyfarfod. Daeth y Prif Gwnstabl atom a gofyn iddi fynd i gyfarfod y Frenhines. Roedd cefn y Prif Gwnstabl at y

Frenhines. Gwrthododd Mrs Williams gan ddweud nad oedd eisiau ei chyfarfod, ei bod wedi ei chyfarfod o'r blaen ym Mhlas Buckingham pan urddwyd ei thad, Bob Owen, Croesor gyda'r OBE! Meddai'r Prif, a chwys yn ymddangos ar ei dalcen: 'Er fy mwyn i, Mrs Williams, a wnewch chi gyfarfod â hi?' Dyma hi'n troi at y plant a gofyn iddynt: 'Ydach chi eisiau cyfarfod y Frenhines?' Wrth gwrs, atebodd y plant yn gadarnhaol. O gornel ei geg dywedodd wrthyf: '*Come forward, Williams,*' a diolchodd y Frenhines i'r wraig am gael defnyddio'r cae. Roedd gŵr Sian Williams, Bleddyn, ar ei dractor yn y cae nesaf – doedd dim diddordeb o gwbl ganddo yn yr hyn oedd yn digwydd ar ei dir!

Arhosodd Mrs Williams, y plant a minnau am ryw awr tra bu'r teulu brenhinol yn mwynhau paned yn y Faenol. Pan ddaethant yn eu hôl gwelais fod y Fam Frenhines yn cael ychydig o drafferth i ddod allan o'r car ac es i roi help llaw iddi. Daeth y Dywysoges Anne ataf a gofyn yn ddistaw: '*You're a copper, aren't you.*' Atebais: '*What can I say*?' Hithau'n fy siarsio: '*Don't tell my father – he hates coppers*!' Ond ar ôl y bygythiad i fywyd y Dywysoges Anne flynyddoedd yn ddiweddarach, 'dw i'n credu ei fod wedi newid ei feddwl!

Yn ddiweddar ffoniais Mrs Williams, sydd yn awr yn byw yn Llanfairpwll, a sôn am y digwyddiad. Nid oeddwn wedi ei gweld ers y diwrnod hwnnw yn 1969.

'O,' meddai, 'Ydych yn cofio'r ddau ohonon ni'n canu cân Dafydd Iwan, 'Carlo, Carlo'?'

'Bobl bach, nac ydw,' meddwn.

Teithiais yn ôl i Gaernarfon o Dreborth gyda'r Prif Gwnstabl mewn Landrofer, ac aeth y ddau ohonom i'r castell. Fel y dywedais yn gynharach, nid oedd George Thomas, Ysgrifennydd Gwladol Cymru, yn ymddiried yn yr heddluoedd Cymreig ac roedd y trefniadau diogelwch y tu mewn i'r castell o dan ofal y Commander Vic Gilbert, Pennaeth y Gangen Arbennig, Scotland Yard. Deuthum yn gyfeillgar gyda phlismon a oedd yn gofalu am brif fynedfa'r castell, un o Heddlu Sir Nottingham (ar y pryd roeddynt i gyd dros 6 troedfedd). Ar ôl yr Arwisgiad, cafodd Vic Gilbert ei ddyrchafu'n Brif Gwnstabl Heddlu Sir Caergrawnt, a chefais wahoddiad diffuant ganddo i alw i'w weld os byddwn i'n teithio trwy'r sir honno. Ychydig o fisoedd wedi iddo gychwyn yn y swydd, disgynnodd yn farw wrth arddio.

Roedd gennyf '*pass*' arbennig, rhif 70, gyda'r geiriau *Admit Detective Constable Williams* arno, ac wedi ei arwyddo gan Norfolk Earl Marshal. Roedd yn rhaid i mi arwyddo fy enw ar yr ochr arall. Roedd y gwn gen i'n saff hefyd – yr unig beth arall oedd gen i oedd cydwybod euog.

Cefais fy rhoi i sefyll ar ochr ddwyreiniol y castell, ger Stryd y Plas, ac roedd y gerddorfa oddi tanaf. Syr Geraint Evans a Gwyneth Jones oedd yr unawdwyr. Ar ochr arall y

70 **Special Pass**

ARWISGIAD TYWYSOG CYMRU

Castell Caernarfon 1 Gorffennaf 1969

Admit DETECTIVE CONSTABLE WILLIAMS.

Norfolk.

Earl Marshal

castell roedd Côr Godre'r Aran, yn canu geiriau gwladgarol Crwys: 'Rwy'n caru pob erw o hen Gymru wen...'. Wrth iddynt orffen gyda '...Nid Cymru fydd Cymru a'i choron dan draed', meddyliais, os oedd coron Cymru dan draed, roedd hi o dan draed y funud honno. Wrth sefyll yn y castell y prynhawn hwnnw roedd fy niddordeb yn dechrau pallu a'm meddwl yn blino, ac roeddwn yn taro golwg o dro i dro rhwng muriau'r tŵr, i lawr dros Stryd y Plas i weld sut oedd y dorf yn ymateb i'r holl ddigwyddiadau. Yn ddisymwth, cefais alwad ar radio'r heddlu: neges oddi wrth Vic Gilbert, Pennaeth Cangen Arbennig Scotland Yard, a oedd yn eistedd bron y tu ôl i'r Tywysog. Mi fuaswn i'n dweud mai ef oedd yn cario gwn agosaf at Charles y prynhawn hwnnw, er bod pob aelod o'r Gangen Arbennig a eisteddai ar ben pob rhes, hyd yn oed y rhes lle'r oedd Gorsedd y Beirdd yn eistedd, yn arfog.

Y neges ydoedd ei fod wedi cael cwyn oddi wrth weithwyr y cyfryngau bod rhyw swyddog yn ymddangos yn y gwagle ar y mur rhwng y ddau dŵr ac yn amharu ar y llun. Roeddent yn ffilmio'r holl ddigwyddiadau ar gyfer y teledu, ac eisiau cymryd mantais o'r bwlch yn y mur er mwyn gadael i olau dydd ymddangos rhwng y cerrig. Felly, bu'n rhaid i mi symud i'r ochr, a dyna ddiwedd y difyrrwch o edrych i lawr ar y dorf.

Wrth sefyll yn y castell am gyfnod mor faith, dechreuodd fy meddwl grwydro a chwaraeai fy nychymyg driciau arnaf – ac efallai fod y diafol yn siarad â mi. Pe bawn yn ddigon ffôl, meddyliais, buaswn mewn sefyllfa i allu saethu i gyfeiriad y Tywysog gan ddefnyddio'r 6 bwled oedd gennyf yn y gwn a oedd tu mewn i'r *briefcase*. Buaswn yn enwog am byth wedyn, mewn ysbyty meddwl rhywle yn Lloegr. Ond o adnabod fy lwc i, buaswn yn fwy tebygol o fethu, a saethu Tom Jones, arweinydd Côr Godre'r Aran, yr ochr arall i'r Castell!

Roedd tu mewn y castell yn lliwgar iawn er bod y tywydd ychydig yn dywyll – doedd dim haul ac roedd yn trio glawio bob yn hyn a hyn, ond fe stopiodd cyn i'r seremoni ddechrau. Rhyw hanner awr cyn y seremoni clywsom ffrwydrad heb fod ymhell o'r castell, a dyma ni'n edrych ar ein gilydd, gan feddwl i gychwyn bod un o'r gynnau dros yr Aber, a oedd i fod i gael eu tanio yn nes ymlaen yn y ddefod, wedi saethu trwy ddamwain. Clywsom wedyn mai ffrwydrad yn Love Lane, y llwybr a redai y tu ôl i gartref y Prif Gwnstabl yn Lôn Parc, ydoedd. Ychwanegodd hyn at y tyndra yr oeddwn yn ei deimlo ar y pryd, a phan oedd y Frenhines a'r Tywysog yn paratoi i fynd allan drwy Giât y Frenhines Eleanor, roeddwn yn poeni am eu diogelwch, ac ofni efallai y buasent yn gorfod cerdded yn ôl i mewn i'r castell i osgoi bygythiad. Er hynny, gwyddwn fod pawb yr oeddem wedi bod yn eu gwylio dros yr wythnosau blaenorol yn cael eu dilyn – yn wir, roedd un cranc a oedd wedi bygwth saethu'r Tywysog yn treulio'r diwrnod yng nghwmni'r Gangen Arbennig ar lan y môr yn Rhyl gyda'i deulu, yn adeiladu cestyll tywod!

Teimlad o ryddhad gefais i fod yr Arwisgiad wedi cael ei gynnal heb lawer o drafferth difrifol, a dyma hefyd oedd barn gyffredinol y gweddill oedd ar ddyletswydd, yn arbennig y tu mewn i'r castell.

Yn ystod yr arwisgiad, dywedodd fy nghyfaill, y Parchedig Brifardd Gwyndaf Evans, yr Archdderwydd ar y pryd, wrthyf fod penderfyniad yr Orsedd i fod yn bresennol yn y Castell yn angenrheidiol am ddau reswm: yn gyntaf, os oeddynt yn cadw draw o'r seremoni ar y dydd, ni allent wedyn ddefnyddio'r gair 'Brenhinol' yn enw swyddogol yr Eisteddfod Genedlaethol; ac yn ail, roedd y Frenhines ei hun yn aelod o'r Orsedd pan gafodd ei hurddo yn Elizabeth o Windsor yn Aberpennar yn 1946.

Gwyndaf lediodd yr emyn Gymraeg yn y Castell yng

Nghaernarfon: 'Cofia'n gwlad, Benllywydd tirion...'. Mae rhai yn damcaniaethu nad Cymru oedd ar feddwl Elfed pan gyfansoddodd yr emyn, yn hytrach, Prydain Fawr; oherwydd roedd yn weinidog ar eglwys Annibynwyr Saesneg yn Hull, Sir Efrog ar y pryd. Rhydd hyn ystyr newydd i'r geiriau:

> Rhag pob brad, nefol Dad,
> Cadw di gartrefi'n gwlad.'

Rhyfedd o fyd ynte!

Ar ôl i'r holl dorf wasgaru, ac ar ôl i'r teulu brenhinol adael am Gaergybi i ymuno â'r llong frenhinol a chynnal derbyniad swyddogol, euthum yn ôl i adeilad *Feed my Lambs* i gael gwared â'r gwn. Meddyliais wrth ei roi yn ôl ei bod yn ffodus iawn nad oeddwn wedi gorfod ei ddefnyddio oherwydd na chefais i gyfarwyddyd o fath yn y byd ynghylch lle a sut i ddefnyddio'r erfyn!

Bu'r cyfnod cyfan yn un pwysig iawn yn ardal Caernarfon, gyda phawb a oedd yno yn rhannu eu hanesion am eu profiad hwy o'r diwrnod. Clywais sawl stori ddifyr, megis yr un am George Thomas yn eistedd â'i gefn at y ceffyl oedd yn tynnu cerbyd y Frenhines a Charles. Dyma'r ceffyl yn gollwng gwynt. '*Sorry about that Ma'am,*' meddai George. Atebodd y Frenhines: '*It's alright, Mr Thomas, I thought it was the horse!*'

Mae gwesty yng Nghaernarfon o'r enw *Prince of Wales*. Cafodd hwn, fel llawer o'r adeiladau oedd ar y ffordd rhwng Ferodo a Chaernarfon ei sbriwsio gyda chôt o baent cyn y diwrnod mawr. Gofynnodd rhywun o'r cyfryngau i un o Gofis y dre: '*What do you think of the Prince of Wales?*' Ei ateb: '*It looks better after a coat of paint.*'

Yn ddiweddar, cynhyrchwyd nifer o raglenni radio a theledu i ddathlu deugain mlynedd ers yr Arwisgiad yng Nghaernarfon. Buaswn yn hoffi cywiro ychydig o'r honiadau a wnaed yn nifer o'r rhaglenni hyn.

Pan ddaeth tîm Huw Edwards o gwmni *Presentable,* Caerdydd, i gysylltiad â mi ynglŷn â rhaglen deledu ar y pwnc, cytunais i gymryd rhan. Deuthum i ddeall fy mod i yn un o nifer o bobl yr oedd y cwmni yn bwriadu cyfweld â hwy, a bod John Barnard Jenkins, y prif fomiwr, ymhlith y gweddill. Union ddeugain mlynedd wedi'r Arwisgiad, ar y Sul diwethaf ym mis Mehefin, gofynnwyd i mi fod yng Nghastell Caernarfon am ddau o'r gloch am gyfweliad. Deallais fod Jenkins i gael ei holi yn y bore o fy mlaen i. Gofynnodd ymchwilydd y rhaglen (a oedd i gael ei darlledu ar BBC 2 drwy Brydain) a fuaswn yn fodlon cyfarfod Jenkins wyneb yn wyneb ac ysgwyd ei law. I ddechrau, fel Cristion, meddyliais y byddwn yn gwneud – ond wedyn daeth yr hen ergydion i'm cof. Newidiais fy meddwl, canys ar ei ddwylo ef mae'r gwaed – gwaed y ddau ddyn a chwythwyd yn Abergele. Ef oedd wedi gwneud y bom. Credaf hefyd mai ef oedd yn gyfrifol am y ffrwydrad a achosodd anafiadau Ian Cox druan; y bachgen ifanc diniwed a gollodd ran o'i goes yn Stryd Bangor, Caernarfon, ddyddiau ar ôl yr Arwisgo wrth geisio nôl ei bêl o gefn siop haearnydd.

Pan gyrhaeddais y Castell ddiwrnod y ffilmio roedd Jenkins wedi mynd adref – mae'n amlwg nad oedd o eisiau fy nghyfarfod; nid oedd wedi mynegi mymryn o edifeirwch am ei ran gyda'r ffrwydradau – dim cydymdeimlad tuag at Ian Cox na'r ddwy ferch o Abergele a gollodd eu tad y noson cyn yr Arwisgo. Cyhuddwyd eu tad, George Taylor, o fod yn gyfrifol am achosi ffrwydrad yn y Clwb Gwlad ym Mhenisa'r-waun ar 6ed Ionawr, 1968 gyda'i ffrind, Alwyn Jones. Yn fy marn i does dim tystiolaeth bod eu tad ym Mhenisa'r-waun y noson honno.

Roedd gweld Jenkins ar y teledu wedi cynhyrfu llawer o bobl, a chafwyd sawl ymateb i'r rhaglen – ei fod yn ddyn afresymol a bod golwg dyn gwallgo' arno. Yn wir, mae ei gymeriad yn un cymhleth iawn – roedd yn manteisio ar bob cyfle posib i sôn am sut yr oedd yn gweithredu, a honni nad oedd ganddo eisiau achosi niwed personol i'r teulu brenhinol (chreda' i mo hynny!).

Rwyf yn cydweld â honiad cyflwynydd y rhaglen, Huw Edwards, mai ar y rheilffordd yn Abergele roedd y ffrwydrad i fod – nid yn y Llyfrgell newydd – oherwydd roedd ei gyd-fomiwr, Fredrick Alders a'i gariad mewn llety Gwely a Brecwast ym Mhensarn, ddim ond llathenni o'r rheilffordd yno. Ef oedd i adrodd yn ôl ganlyniad y ffrwydrad i Jenkins, oedd mewn gwersyll dros aber afon Seiont yng Nghaernarfon. Roedd tua milltir o'r Llyfrgell, safle'r ffrwydrad, i'r rheilffordd. Roedd hefyd yn dweud mai dim ond pump o aelodau oedd gan MAC, Mudiad Amddiffyn Cymru. Mae'n amlwg ei fod yn golygu ef ei hun ac Alders; y ddau o Abergele ac Owain Williams o fferm Gwynus, Pistyll ger Nefyn. Yn ôl Williams, roedd o wedi cael galwad ffôn cyn yr Arwisgiad yn dweud ei fod mewn peryg os byddai'n aros gartref ddydd yr Arwisgo! Tydi hynny ddim yn wir – galwad o'r Amwythig ydoedd yn dweud ei fod ar ben y rhestr o bobl i'w gwylio am y tair wythnos cyn yr Arwisgiad. Ymateb Williams oedd nad oedd arno eisiau bod ar dir Cymru pan goronid Sais yn Dywysog Cymru. Ddywedodd Jenkins ddim am yr aelod arall, G.W. o Gaergybi, a oedd yn gyfrifol am roi'r bom ym Mhier Mackenzie a gorsaf gyfathrebu North Stack, ond na roddodd y cloc ar waith am fod ganddo ofn gwneud niwed corfforol i unrhyw berson. Na, rwyf yn falch na fu i mi ysgwyd llaw â'r llofrudd hwnnw.

Darlledwyd atgofion o'r Arwisgo ar raglen Gwilym Owen hefyd, ac un o'r gwesteion oedd Tom Jones, cyn-arweinydd

Undeb Gweithwyr Cludiant Gogledd Cymru, a fu'n fwy diweddar yn ymgyrchu ar ran gweithwyr ffatri Ferodo, yn adrodd hanes ei dad a'r teulu yn cael trip i Rhyl gyda'r Gangen Arbennig. Wn i ddim oedd o yn sylweddoli nad oedd ei dad yn ddyn yr oeddent yn ei gymryd o ddifrif – ei fod yn fwy o niwsans na dim arall, a'i fod yn gwastraffu amser yr heddlu.

PENNOD 8

SEFYDLU'R GANGEN ARBENNIG YNG NGHAERNARFON 1969-70

Y diwrnod wedi'r Arwisgiad, dychwelais i'r Amwythig, a gofyn a fuaswn yn cael fy rhyddhau o'm swydd yno cyn gynted ag oedd yn bosibl. Roeddwn wedi bod mewn ychydig o benbleth cyn yr Arwisgiad wrth wasanaethu yn Swyddfa'r Gangen Arbennig yn Amwythig. Byddai'r Prif Arolygydd, John Hughes, yn ffonio fy nghartref unwaith neu ddwywaith yr wythnos, gan ofyn beth oedd cynlluniau'r swyddfa a lle'r âi Jock Wilson pan ar ei deithiau yng ngogledd Cymru. Roedd yn anodd i mi fod yn ffyddlon i'r ddwy ochr, a theimlwn fel rhyw fath o asiant dwbl. Rwy'n sicr fod y Prif Gwnstabl yn cael gwybodaeth am ein gweithgareddau o rywle – ond yn sicr, nid gen i yr oedd y wybodaeth yn dod. Rhyddhad i mi oedd ymddiswyddiad Mr Hughes y mis Mai hwnnw, ddeufis cyn y seremoni. Yn fy marn i, nid oedd arno eisiau'r cyfrifoldeb na'r poendod o ddelio gyda threfniadau'r Arwisgo.

O ganlyniad, ddeufis cyn yr Arwisgiad, penodwyd Prif Arolygydd newydd i'r CID yng ngogledd Cymru, Sais o'r enw Tony Clarke gynt o Heddlu Gorllewin Mersia. Roedd y cydweithio rhwng Caernarfon a'r Amwythig yn iach ac roeddwn yn ei edmygu'n fawr gan iddo ymgymryd yn hamddenol â threfniant yr Arwisgo. Roedd o yn fwy rhesymol ei agwedd tuag at yr holl waith, ac wedi credu o'r dechrau nad Byddin Rhyddid Cymru oedd yn haeddu sylw Cangen Arbennig yr heddlu (er, nid wyf yn hollol siŵr pwy oedd yn cael ei amau ganddo). Cefais fy nymuniad ganddo, ac wedi'r Arwisgiad, gofynnodd i mi ddod yn ôl i Gaernarfon i agor swyddfa o'r Gangen Arbennig yn llawn amser yno, ac ym Medi 1969, cefais symud o Wrecsam i Gaernarfon.

Euthum felly yn Dditectif Gwnstabl i agor y swyddfa newydd. Derbyniad reit oeraidd gefais i gan aelodau'r CID yng Nghaernarfon – roedd fy adran yn un newydd sbon ac roeddent yn amau ei swyddogaeth yno. Rydw i'n meddwl eu bod yn credu fy mod i'n ysbïo arnynt ac adrodd yn ôl ar eu gweithgareddau i MI5 a Scotland Yard.

Ar fy niwrnod cyntaf, bu i mi ddarganfod yn y Swyddfa lythyr o'r Swyddfa Gartref yn Llundain, dyddiedig 14 Gorffennaf, 1967 yn gofyn i'r Prif Gwnstabl William Jones-Williams roi sylw i gynllun i sefydlu Cangen Arbennig lawn amser yn Heddlu Gogledd Cymru. Cafodd ei feirniadu'n llym gan Frank Williamson o'r Swyddfa Gartref dros ei agwedd at warantu diogelwch cyn yr Arwisgiad, ac am beidio â sylweddoli'r fath waith paratoi aruthrol oedd i'w wneud. Dywedwyd wrtho fod gan bob heddlu sirol arall ei Changen Arbennig a fuasai yn cynorthwyo gyda'r egwyddor o rannu gwybodaeth ac awgrymwyd bod gwybodaeth wedi ei ryddhau yn achos y bom ym Mhier Mackenzie, Caergybi. Nid oedd perthynas dda rhwng Jones-Williams a Jock Wilson gan fod y Prif Gwnstabl eisiau cadw rheolaeth lwyr dros ei heddlu ei hun, ac roedd yr Ysgrifennydd Cartref, James Callaghan, yn poeni am y sefyllfa ac yn gofyn am adroddiadau ar sut oedd y Prif Gwnstabl yn ymateb i'r holl feirniadaeth. Awgrymwyd iddo un tro ei fod yn ymddiswyddo yn hamddenol!

Dyma gopi o'r llythyr:

HOME OFFICE
Horseferry House, Dean Ryle Street, LONDON S.W.1
Telephone: VICtoria 6655, *ext.*
Telex: 24986

Our reference: QPE/66. 1/8/2
Your reference:

14th July, 1967

Dear Mr. Williams,

As part of the planning of the combined force for the areas of Anglesey, Caernarvon, Merioneth, Denbigh and Flintshire, we should be grateful if you would give particular attention to plans for establishing a Special Branch of the proposed combined force, if this is not in fact already being done.

In recent discussions with us, the Security Service have emphasised the value of the work which the Special Branches of all police forces carry out on their behalf and it is clearly of the first importance that there should be no interruption in this work.

The establishment of a single combined force also clearly gives rise to a number of problems relating to the co-ordination of the security duties and records of the forces in the amalgamation scheme, and the Security Service have told us that they are very ready to advise and assist with the arrangements to be made. Any requests for such assistance should be made to their Police Liaison Section.

Yours sincerely,

R A James

Lt.-Colonel W.J. Williams, O.B.E.

1. Ack

2. DCC & C.I. Hughes
Please let me have your observations.

Dywedais yn gynharach fy mod wedi cael fy amau o baentio waliau'r Faenol. Roeddwn yn ddieuog o'r drosedd honno. Dychmygwch fy mraw pan ddarganfyddais record am y digwyddiad pan ddechreuais weithio i'r Gangen Arbennig yn llawn amser yng Nghaernarfon!

I fod yn fanwl gywir, Pont Tŷ Golchi oedd yr un wnaeth Robert Arthur a mi ei phaentio. Roeddem yn ysgrifennu

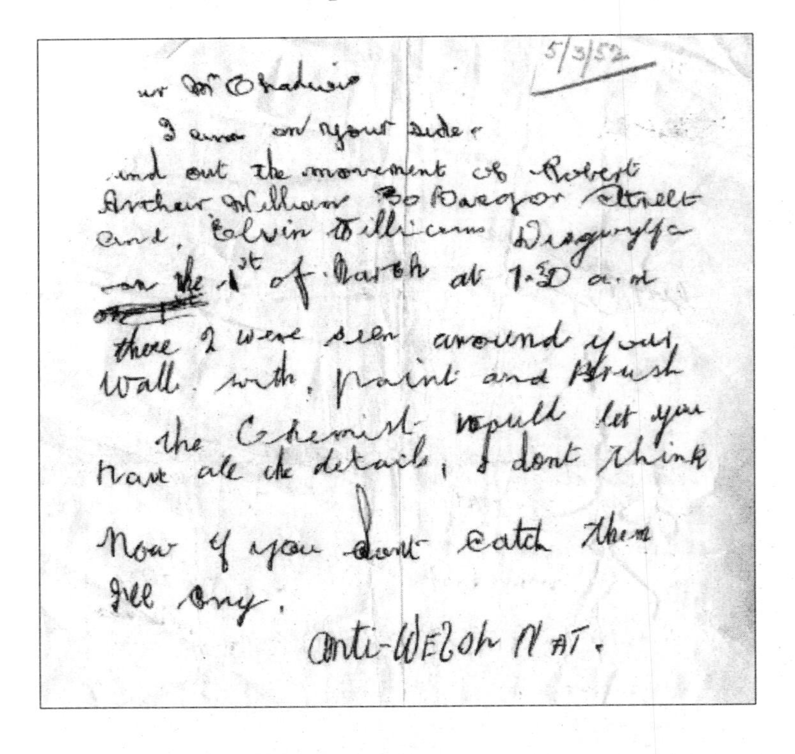

5/3/52

Mr Chadwick

I am on your side
find out the movement of Robert
Arthur William 30 Bangor Street
and, Elvin Williams Disgwylfa
on the 1st of March at 1.30 a.m
there I were seen around your
wall, with, paint and Brush
the Chemist would let you
have all the details, I dont think
Now if you dont catch them
I'll any.

Anti-WELSH NAT.

Llythyr di-enw yn achwyn fy mod wedi paentio waliau'r Faenol. Gyrrwyd ef at Mr Chadwick, Asiant y Faenol.

Free Wales ar ein pennau i lawr, ac ar y pryd pasiodd trên yn agos iawn i ni. Hefyd, clywsom leisiau o dan y bont – plismon y Felinheli yn cyfarfod plismon Glanadda. Rhaid oedd aros yn ddistaw iawn tan iddynt fynd ar eu beics ar eu ffordd adref. Dyma adroddiad y Rhingyll-Dditectif:

GWYNEDD CONSTABULARY

DIVISION Caernarvon. POLICE STATION Caernarvon.

Date 26th March, 1952.

To: Det. Insp. Ll. Roberts
From: D.S. 22 W. G. Roberts

CHIEF CONSTABLE'S OFFICE CRIMINAL INVESTIGATION DEPARTMENT MAR 1952 CAERNARVON

Subject: Painting of Slogans.

With reference to the attached file, I have made enquiries with a view to tracing the authors of the political slogans written on walls etc. on the night of the 29th Feb/1st March, 1952. During the course of these enquiries I have interviewed a number of persons closely connected with the Welsh Nationalist Party, and they all say that the slogans were part of a campaign by the Welsh Republican Movement.

I have ascertained, however, that some members of the Welsh Nationalist Party are also members of the Welsh Republican Movement. A meeting of the Welsh Republican Movement was held at Bangor on the 22nd or 23rd February, 1952, and this was attended by a number of students.

I have received information that E. R. Rowlands, of Maesygaer, Caernarvon, who is a student at the University College of North Wales, Bangor, has said that he was aware that these slogans were to be painted and knew who painted them. He refused to disclose the identity of the persons responsible saying that he agreed with them in many ways.

With regard to the attached anonymous letter received from Mr J. Chadwick, I have checked up as far as possible on the movements of the two persons, Arthur Williams and Elwyn Williams. Both are members of the Welsh Nationalist Party and the latter may also be connected with the Welsh Republican Movement. On the night the slogans were painted both these persons were seen by P.C.153 Owen, Portdinorwic, going in the direction of their homes shortly after 10p.m. and there is no evidence that they were out afterwards on that night.

I am of the opinion that the slogans were painted by persons associated with the Welsh Republican Movement, and there is ground for thinking that most of the Welsh Nationalists are in sympathy with this movement.

W G Roberts

Det. Sergeant No.22

Adroddiad yn ymateb i'r llythyr di-enw. Cefais hyd i hwn mewn bocs sbwriel ym Mhencadlys yr Heddlu yng Nghaernarfon.

Roedd Robert Arthur a mi wedi mynd allan drwy'r drws cefn tua hanner nos. Mae gan y Sais ddywediad: 'Mae'n cymryd lleidr i ddal lleidr'!

Un o'm dyletswyddau cyntaf yn y swyddfa newydd oedd dechrau edrych yn ôl ar hanes gwleidyddiaeth eithafol Cymru. Meddyliais y buaswn yn cael golwg ar ffeil llosgi'r Ysgol Fomio ym Mhenyberth yn 1936, ond pan es i'r seler ym Maesincla i chwilio amdani, darganfyddais fod y ffeil ar goll! Rhan arall o'm gwaith oedd cadw llygad ar yr eithafwyr Gwyddelig, yr IRA, oherwydd nad oeddem wedi canfod pwy oedd yn gyfrifol am rai ffrwydradau yng Nghymru.

Dyletswydd y Gangen Arbennig oedd rheoli'r Gwyddelod ym mhorthladd Caergybi. Rwyf yn cofio bod ar ddyletswydd rhyw brynhawn Sadwrn a chael galwad o Gangen Arbennig Manceinion yn egluro bod ffrwydrad

Y llun ohonof yng Nghaergybi – tybed a oedd yr IRA yn fy ngwylio?

wedi digwydd mewn tŷ yno. Gwnaethpwyd y penderfyniad i stopio a holi dwy ferch a oedd ag arogl mwg arnynt a'u hamrannau wedi'u llosgi; a phenderfynwyd eu cadw yn yr orsaf a galw swyddogion Manceinion i ddod i'w holi. Roeddwn wedi trefnu i fynd allan gyda Helen y noson honno, ond ni allwn adael y gwaith hyd nes y byddent wedi cyrraedd. Deallais ymhen hir a hwyr eu bod yn gwylio gêm bêl-droed yn Old Trafford! Gwylltiais a dweud wrth eu cyd-swyddogion y buaswn yn gadael i'r ddwy fynd yn rhydd os na fuasent yng Nghaergybi erbyn hanner awr wedi chwech. Aeth y ddwy yn ôl i Fanceinion gyda swyddogion y Gangen Arbennig, a diolchais nad oeddwn wedi eu rhyddhau oherwydd deallais mai'r chwiorydd Gillespie – Anne ac Eileen – oeddynt, aelodau o'r IRA a fu'n gyfrifol am ffrwydradau yn ardal Manceinion. Bu'r ddwy yn y carchar am gyfnod o tua naw mlynedd.

Ar achlysur arall, pan oeddwn ar ddyletswydd yng Nghaergybi, gwelais Wyddel yn tynnu lluniau gyda'i gamera yn y porthladd ar ei ffordd adref i'r Iwerddon. Dygwyd y camera oddi arno a phan ddatblygwyd y ffilm, gwelais lun ohonof fy hun yn cerdded yn y sied lle byddai plismyn yn archwilio'r ceir cyn iddynt fynd ar y fferi. Efallai y buasai'r llun hwnnw wedi'i drosglwyddo i'r IRA petawn i heb gymryd y camera – pwy a ŵyr!

Doedd problem y ffrwydradau ddim wedi ei datrys. Roeddem yn rhyw ddechrau meddwl bod pwy bynnag a fu wrthi wedi rhoi'r gorau iddi ar ôl yr Arwisgo, ond yn Hydref 1969 darganfuwyd bom arall yn St Martin's House, Caer, ac un arall yng ngorsaf gyfathrebu South Stack, Caergybi – yn ogystal â'r ddamwain pan gollodd y bachgen Ian Cox ei goes tu ôl i'r siop haearnydd yn Stryd Bangor, Caernarfon ychydig ddyddiau ar ôl yr Arwisgiad. Roeddwn yn ffyddiog iawn mai mater o amser fyddai hi cyn y byddem yn darganfod y gwir fomwyr oherwydd bod gwaed wedi ei golli; ac roeddwn yn berffaith gywir.

Yn y diwedd, cawsom y wybodaeth yr oeddem wedi gobeithio amdani. Y penderfyniad pwysicaf oedd dewis y tîm gorau o dditectifs o'r ddwy sir – Gogledd Cymru a Sir Gaer – i weithio ar yr achos. Sefydlwyd Swyddfa Arbennig dros dro yng ngorsaf Rhiwabon o dan ofal y ddau Uwch Arolygydd Tony Clarke ac Arthur Benfield (a fu'n chwarae rhan flaenllaw yn arestio Myra Hindley ac Ian Brady ychydig flynyddoedd ynghynt); gyda'r Arolygydd John Vaughan yn gofalu am yr holi a'r croesholi. Fy ngwaith i, gyda'r Rhingyll Peter Williams o Wrecsam, oedd arestio'r ddau a gafodd eu henwi gan ein hysbysydd (heb warant).

Ar fore Sul 22ain Tachwedd, 1969, arestiwyd Frederick Ernest Alders, 22 oed, mewn tŷ teras bychan yn Rhosllannerchrugog – roedd newydd briodi rai wythnosau ynghynt. Aethom ag ef i Riwabon, ac ar ôl i ni adael y tŷ daeth tîm i'w archwilio, gan ddarganfod *gelignite* yn chwysu yn beryglus mewn cwpwrdd yn ymyl lle bûm yn eistedd a chael paned o de funudau ynghynt! Wedyn aethom i Hightown yn Wrecsam i nôl John Barnard Jenkins, 36 oed. Rhingyll ydoedd yn y Corps Deintyddol yn y Fyddin Brydeinig, yn gweithio o Soughton Camp, Sir Gaer. Erbyn i ni gyrraedd Rhiwabon, roedd Alders wedi cyfaddef mai ef a Jenkins oedd yn gyfrifol am y ffrwydradau a oedd wedi bod yn digwydd ers tair blynedd, tua deuddeg i gyd.

Ar ddechrau'r saith degau, y dasg bwysicaf oedd casglu'r dystiolaeth angenrheidiol ar gyfer yr achos yn erbyn y ddau, a oedd i ymddangos gerbron yr Uchel Lys yn yr Wyddgrug. Ddechrau'r flwyddyn honno hefyd, ymddeolodd y Prif Gwnstabl William Jones-Williams a chafodd ei wneud yn farchog.

Ar ddydd Llun, 13eg Ebrill, 1970, daeth achos Alders a Jenkins gerbron Llys y Goron yr Wyddgrug. Y Barnwr Thompson oedd yn eistedd ar y fainc; yn erlyn roedd Tasker Watkins, Caerdydd (a ddaeth yn ddiweddarach yn Arglwydd Watkins) ac roedd Peter Thomas (a ddaeth yn ddiweddarach yn Arglwydd Conwy) yn amddiffyn. Roeddwn yn hen gyfarwydd â Peter, oherwydd roedd ei dad, Dafydd Thomas, yn dwrnai yn Llanrwst, yn amddiffyn diffynyddion yn y llys ym Mlaenau Ffestiniog, ac roedd o wedi bod yn Aelod Seneddol Ceidwadol dros ranbarth Conwy.

Cyn yr achos, bu'n rhaid ymweld yn gyson â charchar Amwythig i gael cyfweliadau pellach gydag Alders – er ei fod ef wedi cyfaddef i'r ffrwydradau yn syth wedi'i arestio, nid oedd Jenkins am siarad dim am y digwyddiadau cyn yr achos, nac ychwaith am wneud datganiad ysgrifenedig. Gofynnodd Tasker Watkins i mi ymweld â Jenkins yn aml yn y celloedd. 'Dos i mewn i'w feddwl o, i weld pam y cymrodd y camau eithafol hyn i weithredu fel y gwnaeth'; dyna oedd fy mrîff.

Yn ystod ein sgyrsiau, daeth i'r amlwg bod Jenkins a minnau wedi cael ein geni yn yr un mis o'r un flwyddyn, ein dau wedi hyfforddi fel technegwyr deintyddol, a'n bod yn gwasanaethu ar Ynys Cyprus yn ystod yr un cyfnod – ef yn y *Dental Corps* a minnau gyda'r Plismyn Milwrol, y *Red Caps*. Er ei fod wedi siarad yn reit blaen hefo fi yn y celloedd, gwadu oedd o o hyd.

Gan fod Jenkins wedi pledio'n ddieuog i'r holl gyhuddiadau bu'n rhaid gwrando ar y dystiolaeth yn ei chyfanrwydd. Roedd fy nhystiolaeth i yn fyr iawn – dim ond rhoi manylion yr arestio wnes i. Llediodd Alders yn euog a throi'n *Queen's Evidence* – hynny yw, roedd i dystio yn erbyn Jenkins ar ddiwedd yr achos. Ar y nos Wener, ar ddiwedd wythnos gyntaf yr achos, cawsom fel tîm gyfarfod gyda

Tasker Watkins i benderfynu pwy oedd y tystion nesaf a fyddai'n cael eu galw fore Llun. Penderfynwyd galw G. W. o Gaergybi (tydw i ddim am ei enwi yn llawn) a oedd wedi derbyn bom gan y ddau i'w gosod ym Mhier McKenzie a South Stack. Daeth G. W. yn rhan o'r cynllwyn wedi iddo ysgrifennu at MAC gan ddatgan ei fod eisiau gweithredu yn ymarferol yn erbyn yr Arwisgiad. Drwy un o aelodau MAC daeth i gysylltiad â Jenkins; a chyfarfu G. W. â Jenkins yng ngorsaf reilffordd Wrecsam wedi iddo gael cyfweliad trylwyr rhag ofn ei fod yn gweithio i'r Heddlu. Daethom i ddeall ei fod wedi poeni ei enaid am yr achos a'i fod wedi ei yrru i Ysbyty Meddwl Gogledd Cymru, Dinbych.

Aeth yr Arolygydd John Vaughan a minnau i'r ysbyty ar y ffordd adref o'r Wyddgrug ar y nos Wener honno, er mwyn cael gweld beth oedd ei sefyllfa, ac a fyddai modd i ni ei alw fel tyst. Dywedodd rhyw feddyg bach wrthym fod gorchymyn gan yr arbenigwr Dr Dafydd Alun Jones nad oedd neb i gael ymweld â'r claf. Es heibio'r meddyg, ac yntau yn protestio, ond wrth gwrs nid oedd Doctor Dafydd Alun ar gael. Gwelsom G. W. Roedd fel pwdin reis – nid oedd yn gwybod pa amser o'r dydd ydoedd, a rhaid oedd i ni wneud y penderfyniad nad oedd yn ddigon cyfrifol i roi tystiolaeth. Doedd dim i'w wneud ond galw ei wraig ymlaen fel tyst, gan y byddai hi'n gallu cyflwyno'r un wybodaeth ag y byddai ei gŵr wedi ei roi. Roedd hi'n bresennol pan ddanfonwyd y bomiau i'r tŷ yng Nghaergybi gan Alders a'i gariad, a gwyddai i'r ffrwydradau gael eu cadw yn y sied gefn.

Cyn dechrau'r gweithgareddau yn y Llys fore Llun, ataliwyd yr achos a gofynnwyd mi fynd i lawr i'r gell. Roedd Jenkins eisiau gair gyda mi. Roedd wedi deall ein bod yn bwriadu galw gwraig G. W. i'r llys, ac roedd yn wallgof gan nad oedd yn fodlon i fam a gwraig tŷ fynd i'r bocs i dystio. Wel, meddwn wrtho, yr unig ffordd allan ydyw i ti bledio'n euog. Ar ôl meddwl am ychydig penderfynodd bledio'n euog i naw o'r deuddeg cyhuddiad. Serch hynny, roedd yn dal i bledio'n ddieuog i'r ffrwydradau lle anafwyd pobl – y bom ar silff ffenest yng ngwersyll yr RAF ym Mhen-bre (ble anafwyd llaw aelod o'r RAF; ar fy niwrnod cyntaf yn swyddfa Amwythig), Abergele a Stryd Bangor, Caernarfon pan anafwyd y bachgen ysgol Ian Cox. Yr esgus a roddai yn achos Caernarfon oedd ei fod wedi ffonio Heddlu'r dref fwy nag unwaith i'w rhybuddio fod y bom tu ôl i'r siop haearnydd, ac mai difaterwch a methiant ar ran yr heddlu oedd peidio â diogelu'r bom. I fod yn deg, yn ystod y cyfnod hwnnw roedd yr heddlu yn derbyn cannoedd o alwadau ffug yn honni bod bomiau ym mhobman yn y dref. Doedd dim modd i'r heddweision ymchwilio iddynt i gyd. Dywedais wrth Peter Thomas fod Jenkins wedi penderfynu pledio'n euog, a chariodd yntau'r neges i'r Barnwr Robinson. Roedd yr achos ar ben y diwrnod canlynol. Dedfrydwyd Jenkins i ddeng mlynedd o garchar ac Alders i chwe blynedd dan glo. Yn bersonol, rydw i yn berffaith siŵr mai hwy ill dau, a neb arall, oedd yn gyfrifol am yr holl ffrwydradau.

Aeth Jenkins i garchar Winston Green ym Mirmingham, ac anfonwyd neges i mi fynd i'w weld oherwydd bod rhywbeth ar ei feddwl. Dywedodd wrthyf fod bom arall heb chwythu ym mhen draw'r pier yn Llandudno, lle'r oedd y teulu brenhinol i fod i lanio cyn mynd ar ymweliad o amgylch Cymru. Rhaid oedd archwilio'r pier yn fanwl. Roedd ci a oedd wedi'i hyfforddi i allu synhwyro *gelignite* yn dangos diddordeb mewn un lle yn arbennig, ond ni ddarganfuwyd unrhyw ddeunydd ffrwydrol. Euthum yn ôl i'r carchar am yr eilwaith – roedd Jenkins yn dal yr un mor benderfynol fod bom yno. Yn ôl eto i'r pier, nes ein bod yn berffaith hapus bod y lle yn ddiogel – daethom i'r casgliad fod unrhyw fom a fu yno wedi hen ddisgyn i'r mwd yn y môr. Y diwrnod hwnnw, dywedodd Jenkins wrthyf mai'r digwyddiad a wnaeth iddo weithredu mewn modd mor eithafol oedd Aberfan, gan ei fod wedi colli perthynas yn y trychineb. Gofynnodd i mi beth fuasai yn fy ngyrru i i weithredu. Ni atebais ef, ond buaswn wedi hoffi dweud 'Tryweryn'.

Ar ôl carcharu'r ddau yma ni chafwyd yr un ffrwydrad wedyn yng Nghymru. Yn Eisteddfod y Bala, 2009, cefais sgwrs gyda chyn-bennaeth Ysbyty Meddwl Gogledd Cymru, Dinbych, Doctor Dafydd Alun Jones.

'Mae gen i asgwrn i'w grafu gyda chi,' dywedais wrtho. Roedd ar y pryd mewn cadair olwyn.

'Pwy ydach chi?' gofynnodd.

Wedi ei ateb, gofynnais: 'A ydych yn cofio achos John Barnard Jenkins yn yr Wyddgrug yn Ebrill 1970?'

'Yn dda iawn,' oedd yr ateb.

'Rydw i o'r farn eich bod wedi rhwystro G. W. rhag rhoi tystiolaeth pan oedd yn yr Ysbyty Meddwl yn Ninbych o dan eich gofal; ac efallai eich bod wedi ein rhwystro ar bwrpas drwy roi cyffuriau neu feddyginiaeth iddo a fyddai'n golygu na fyddai mewn cyflwr i siarad.'

Dechreuodd chwerthin dros y babell.

'Roeddwn yn meddwl ar y pryd fy mod yn gwneud cymwynas â'r genedl!' meddai. Rhaid oedd dweud wrtho fod ei gynllun wedi methu a bod ei ymdrech wedi 'bac ffeirio', gan ein bod wedi galw gwraig G. W. y bore Llun canlynol i roi'r un dystiolaeth â'i gŵr. Dyna wnaeth i Jenkins bledio'n euog i wyth o'r cyhuddiadau. Edrychodd arna' i â gwên fawr ar ei wyneb, gan ateb;

'Rydym ein dau wedi callio ychydig ers hynny!' Gofynnais a fuaswn yn cael defnyddio'r stori yn y llyfr yma.

'Ar bob cyfri,' oedd yr ateb, 'a chofia yrru copi i mi!'

Yn yr un Eisteddfod, daeth Côr Meibion Maelgwn o Gyffordd Llandudno adref gyda chwpan ar ôl curo Côr y Brythoniaid o Flaenau Ffestiniog – tipyn o gamp!

Llongyfarchiadau i'w harweinydd ifanc, Trystan Lewis, sydd yn byw rownd y gongl i mi yn Neganwy. Mae'n anrhydedd cael adnabod y gŵr ifanc dawnus yma.

Oedd, roedd 1969 yn flwyddyn arbennig iawn yn hanes y genedl Gymreig ac yn fy hanes personol i. Tri dyddiad sy'n sefyll allan, 1af Gorffennaf (diwrnod yr Arwisgo – beth oedd y gost tybed?), 2il Tachwedd (arestio John Barnard Jenkins a Frederick Alders) a 20fed Tachwedd – genedigaeth fy unig ferch, Lisa Elfyn, yn Ysbyty Dewi Sant, Bangor. Wrth edrych yn ôl fel hyn, does dim amheuaeth mai'r olaf oedd y pwysicaf i mi.

Pennod 9

Y Teulu Brenhinol a Phwysigion Eraill

Rhan o ddyletswydd y Gangen Arbennig oedd gwarchod aelodau o'r teulu brenhinol a phenaethiaid llywodraeth San Steffan a'r Swyddfa Gymreig yn ystod eu hymweliadau â gogledd Cymru. Fel Rhingyll, roedd gen i bedwar ditectif yn fy adran – un yn gyfrifol am bob rhanbarth o Heddlu Gogledd Cymru.

Rwy'n cofio'r Dywysoges Margaret a Tony Armstrong Jones yn dod i aros i Blas Dinas ym Montnewydd rhyw dro ac ar y bore Sul roeddwn y tu allan yn y car gyda'r diweddar Vic Gerrard pan ddaeth Tony allan a chyhoeddi bod 'na uffern o ffrae wedi bod rhyngddynt. Oedd gobaith o gael peint yn rhywle, gofynnodd, ac i ffwrdd â ni i'r Vaenol Arms ym Mhentir.

Roedd Arthur Jones, perchennog y dafarn, yn ei wely, felly bu'n rhaid i ni guro'r drws nes y daeth i'r ffenestr.

'Be ddiawl ydach chi isio'r amser yma o'r bore?' gwaeddodd yn flin.

'Mae Lord Snowdon eisiau *drink,*' atebais.

Agorodd y ffenest a rhoi ei goes allan, gan ddweud, 'Tynnwch y llall hefyd!' Ond pan welodd Tony, dyma fo'n agor y drws ac yn glanhau un o'r byrddau cyn rhoi peint iddo. Ar ôl ei orffen, gorchmynnodd Tony:

'Ewch â fi i orsaf Bangor, rwy'n mynd adref.' Rhoddodd gyfeiriad tŷ yng Nghaernarfon i ni, o gwmpas lle saif y Galeri heddiw. 'Ewch yno heno, mae parsel i mi yno.' Aethom i'r tŷ ac agorwyd y drws gan ryw ddyn bach mewn wedars a roddodd fag plastig du i ni – gyda chyfarwyddyd i'w roi o ar y trên cyntaf yn y bore o Fangor. Roedd y bag yn cynnwys yr eog mwyaf a welais i erioed. Roedd eisiau i ni ei roi i'r gard ar y trên, wedi'i gyfeirio at *Lord Snowdon, Kensington Palace*. Roedd yn edrych yn debyg i mi fod y dyn yma wedi bod yn potsio gyda Tony mewn afon nid nepell o Gaernarfon!

Roedd Clwb Criced Sir Feirionnydd yn anfon gwahoddiad bob blwyddyn i Lywydd y Clwb, Dug Caeredin, i'w cinio blynyddol. Ef hefyd yw Iarll Meirionnydd. Gwrthod fyddai o fel arfer, ond un flwyddyn derbyniodd y gwahoddiad. Wel, dyma banig! Roedd yn aros yn nhŷ'r Cyrnol Williams Wynn, Fferm Peniarth, Llanegryn, ger Tywyn, a rhaid oedd ei hebrwng o Lanegrŷn i'r cinio yn y Golden Lion yn Nolgellau.

Pan stopiodd car y Dug y tu allan i'r gwesty, aeth aelod o'r Gangen Arbennig i sefyll y tu ôl i'r cerbyd; ond symudodd y car yn ei ôl a phan stopiodd, roedd rhyw fodfedd a hanner o esgid y plismon oddi tan yr olwyn! Cafodd arwydd i ddilyn y Dug i mewn i'r gwesty, ond roedd yn methu symud. Doedd dim i'w wneud ond tynnu ei esgid a rhedeg at y gyrrwr a gofyn iddo symud y car ymlaen fodfedd neu ddwy, er mwyn cael ei esgid yn ôl!

Dro arall, rhyw ddydd Iau ym mis Mai 1975, roedd fy nghyfaill Arthur Vaughan a minnau ar ddyletswydd ym Mlaenau Ffestiniog, ac wedi bachu ar y cyfle i ymweld ag aelod o deulu Arthur. Roedd nai iddo wedi cael *chest expander* yn anrheg a chafodd y ddau ohonom gryn hwyl wrth roi tro ar y peiriant, nes bod ein breichiau yn boenus, ac erbyn y bore roeddent wedi cyffio. Y diwrnod canlynol, a'm breichiau yn drwm, roeddwn mewn cinio yn swyddfa Robertson's Research yn Neganwy, gan fod cadw llygad ar bobl o wledydd tramor oedd yn gweithio neu'n ymweld â'r labordai yn un o gyfrifoldebau'r Gangen Arbennig. Ein cyfrifoldeb oedd cadw recordiau o'u symudiadau i'r

Swyddfa Gartref yn Llundain. Roedd y cinio'n un pleserus, a'r gwin yn gorlifo!

Ar ôl te'r prynhawn hwnnw roeddwn ar fy ffordd i Fangor i drefnu ymweliad y Frenhines â'r ddinas honno'r wythnos ganlynol. Wrth yrru'r car ar hyd lôn gul Glanwydden – mae'n rhaid bod effaith y gwin yn dal yn fy ngwaed, ac roeddwn eisiau cysgu – y peth nesaf a welais o'm blaen oedd derwen fawr. Ceisiais droi'r olwyn, ond roedd fy mreichiau wedi cloi yn stiff o ganlyniad i giamocs y diwrnod cynt ac es i mewn i'r goeden. Doedd dim i'w wneud ond cael lifft adref gan gyfaill a oedd yn digwydd pasio ar y pryd. Euthum adref, golchi fy ngheg a rhoi oglau da ar fy ngwynt. Pan ddychwelais at y car roedd yr Heddlu cyffredin wedi cyrraedd. Roedd yn rhaid i'r Arolygydd roi prawf gwynt i mi a chwythais i'r bag o flaen dau blismon ifanc. Drwy ryfedd wyrth roedd y gwynt yn normal.

Bu llawer o dynnu coes am y ddamwain – gydag un Sais yn dweud: '*Fancy a Special Branch car going up a tree!*'

Derbyniais benillion (rhai dienw, wrth gwrs) gan fardd o Ysgol John Bright, Llandudno – mae copi ohonynt gyferbyn.

Ar ddiwrnod ymweliad y Frenhines â'r Gadeirlan i ddathlu sefydlu'r Esgobaeth, roeddwn ar ddyletswydd ym mhrif fynedfa'r adeilad, yn archwilio ac yn gofalu am y gwahoddedigion oedd yn mynychu'r gwasanaeth.

Stopiodd un heddwas gorofalus hen wraig oedrannus rhag mynd i mewn oherwydd nad oedd ganddi wahoddiad swyddogol. Wrth siarad gyda'r wraig dywedodd wrthym ei bod yn ymweld â'r Gadeirlan bob dydd o'r wythnos – wedi peth trafod cafodd fynd i'r gwasanaeth heb gael ei harchwilio am arfau – wel, mae'n rhaid defnyddio synnwyr cyffredin weithiau! Yn ddiweddarach, fe ddarganfyddais mai hi oedd yn gyfrifol am dynnu sylw'r cyfryngau at y ffaith fod

Y PLISMON, Y CAR A'R GOEDEN

Mae'n biti, biti garw
Fod dynion da fel chwi
Yn gael eu trin mor arw,
A mynd ar eu sbri,
Er dy fod yn yrrwr medrus,
Da iawn cael COEDEN GREF
I ddal dy gerbyd gyda nerth
Rhag mynd i borth y nef.

Gobeithio nad yw'r goeden
Yn dal i deimlo'n flin,
A diolch raid amdani,
Ond Duw a helpo'r QUEEN,
Pe bai hi yn dy gerbyd,
Neu'n dod tu ol i ti,
Dim gobaith i ti am fedal,
Na hyd yn oed O.B.E.

Mae yma wers iw dysgu,
Fel gwers yr Olwyn ddwr,
Os trie go sal a wnei i'th ffrind,
Fe ddaw yn ol,reit siwr.
Ond diolch wnawn,r'hen gyfaill
Dy fod eto gyda ni,
Wrth anfon pwt o bennill
Hir oes a hoen i ti.

(Gellir eu canu pan yn sobor ar
'Gwnewch Bopeth yn GYMRAEG'

Y penillion di-enw wedi fy ngwrthdrawiad â'r goeden

gan gôr yr eglwys aelod ifanc gyda llais fel angel. Ie, Aled Jones oedd y bachgen bach hwnnw, a hi oedd yn gyfrifol am gychwyn ei yrfa!

Daeth Tywysog Cymru i gael ei hyfforddi sut i hedfan hofrennydd yng Ngwersyll y Fali ddwywaith. Y tro cyntaf, roedd yn aros yn y Faenol, cartref Syr Michael Duff, a bu'n rhaid i ninnau hefyd aros dros nos yn y tŷ. Gyda'r nos daeth Mrs Randall, gwraig George Randall, *chauffeur* Syr Michael, i'r gegin a dweud ei bod wedi gwneud treiffl arbennig i'r Tywysog, a'i fod yn yr oergell. Yn hwyrach y noson honno aethom i lawr i'r gegin, agor yr oergell a phlannu llwy i mewn i'r treiffl! Ew, roedd blas mwy arno – ac erbyn y bore roedd hanner y treiffl wedi diflannu! Agorodd Mrs Randall yr oergell yn y bore gan ddwrdio: 'Yr hen Elfyn Disgwylfa 'na sydd wedi gwneud hyn.' Bu'n rhaid iddi wneud treiffl arall i'r Tywysog. Roedd yn fy adnabod i'n reit dda – mae ei mab, Leslie, a minnau yn hen gyfeillion ers dyddiau ysgol gynradd y Felinheli!

Yn ystod ei ail ymweliad, arhosodd Charles ym Mhlas Newydd, ger Llanfairpwll gyda'r Marcwis. Dau oedd ar y staff yno: yr hen Mrs Clayton, y gogyddes, a oedd wedi syrthio a thorri'i choes ac yn gorwedd ar y soffa; a'r bwtler, dyn tal fel procar mewn siwt ddu a lliain gwyn ar ei fraich. Na, doedd o ddim am goginio brecwast i Charles a oedd yn disgwyl am ei fwyd yn yr ystafell nesaf. Bu'n rhaid i mi roi'r badell ffrio ar y stôf a Mrs Clayton yn dweud wrthyf faint o gig moch, wyau ac ati i'w rhoi ynddi (darganfûm fod y Tywysog yn hoff iawn o fadarch a thost brown!). Gosodais y cyfan ar blât, ond gwrthododd y bwtler ystyfnig fynd â'r bwyd iddo! Sôn am *upstairs, downstairs,* a doedd y gegin ddim yn rhy lân chwaith!

Yn 1981, ym Mheniarth, Llanegryn, y gwelais y Dywysoges Diana am y tro cyntaf. Roedd hi a'r Tywysog

Charles newydd briodi ac roedd rhyw olwg swil arni, ei llygaid yn edrych tua'r llawr. Diolchodd i ni am edrych ar ei hôl, a chydnabod bod ein gwaith yn beryglus, ond ddaeth Charlie ddim atom ni i roi ei ddiolchiadau ef chwaith!

Yn hwyr yn y saith degau, digwyddodd rhywbeth difyr iawn. Pan aeth ffermwr i aredig ei gae uwchben bryniau Dyffryn Glyn Ceiriog, tarodd ei dractor ryw beiriant metel yn y pridd. Doedd o ddim yn annhebyg i deipiadur ond bod yr allweddau yn wahanol arno. Ar ôl rhoi'r wybodaeth i swyddfa Undeb yr Amaethwyr yn Ninbych cadwodd y peiriant yn y beudy ar y fferm.

Aeth y stori i'r Wasg, a'r diwrnod canlynol cefais alwad ffôn o swyddfa MI6 yn Llundain. Rhaid oedd i mi gyfarfod un o'u swyddogion yng ngorsaf drenau Bae Colwyn – roedd ar ei ffordd i fyny ar y trên o Lundain. Yn ystod ein taith i Ddyffryn Ceiriog dywedodd wrthyf mai *decoder* o Rwsia oedd y peiriant, a bod dau ysbïwr Rwsiaidd wedi bod yn aros yn y West Arms, Llanarmon Dyffryn Ceiriog, cyn cael eu hanfon adref i Foscow. Roedd eu henwau yn y llyfr ymwelwyr yn y gwesty hwnnw.

Pan gyraeddasom y ffermdy gwrthododd y ffermwr roi'r peiriant i ni; a bu'n rhaid i mi ddefnyddio grym i'w dynnu o'i freichiau. Bûm yn dadlau ag o yn Gymraeg, gan ddweud bod y Swyddfa Gartref yn Llundain eisiau mynd â'r peiriant oddi yno i'w archwilio. Edrychai ein cyfaill o MI6 arnom yn syn, cyn datgan yn ddiweddarach fod gan yr iaith Gymraeg ei phwrpas wedi'r cwbl!

Mae'n amlwg mai targedu'r Orsaf Glustfeinio Ryngwladol oedd pwrpas y peiriant, oedd efallai rhyw ddeuddeng milltir i ffwrdd y tu allan i Groesoswallt. Cofiaf slogan a ddefnyddid yn ystod y Rhyfel Oer: 'gwyliwch rhag bod ysbïwr o Rwsia o dan eich gwely'. Ie, a gwyliwch eich caeau hefyd!

Yn 1979, bu'n rhaid i mi fynd i gyfarfod William Whitelaw, a oedd yn Ysgrifennydd Cartref ar y pryd, ar y ffin yn Hawarden. Roedd yn ymweld â sir Gaer i agor rhyw ffatri neu'i gilydd, ac roeddem ni i gymryd drosodd gan Gangen Arbennig y sir honno'r cyfrifoldeb o'i warchod. Roeddem i'w yrru i dŷ Ceidwadwr cyfoethog lle'r oedd i fod i gyhoeddi enw ymgeisydd ei blaid yn etholiadau Ewrop. Wedi i ni ei gasglu a chychwyn am Wrecsam, dechreuodd Whitelaw siarad â mi dros y ffôn dwyffordd oedd yn y car – eglurodd ei fod wedi cael ychydig gormod i'w yfed dros ginio ac na allai gofio enw'r wraig yr oedd i fod i'w chyflwyno yn y derbyniad. Atebais mai Beata Brookes oedd ei henw. Holodd ai 'Miss' ynteu 'Mrs' oedd hi, a bu'n rhaid i mi gydnabod nad oeddwn yn gwybod.

Wedi i ni gyrraedd y plasty moethus, bu mwy o yfed, nes bod Whitelaw druan yn cael trafferth i aros ar ei draed! Allan yn yr ardd roedd y cyfarfod i fod i gael ei gynnal, a thrwy ei anerchiad, hoeliodd yr Ysgrifennydd Gwladol ei sylw ar dderwen fawr yng ngwaelod yr ardd, rhag iddo anghofio ei eiriau! Roedd diod feddwol yn cael ei weini allan o bowlen fawr arian ger y gwrych, a thrwy'r prynhawn gwelwn ddwylo yn sleifio drwy'r tyfiant – roedd aelodau CID Wrecsam oedd ar ddyletswydd yr ochr arall i'r gwrych yn llenwi'u gwydrau yn slei bach! Er bod y tywydd yn braf a sych y pnawn hwnnw, roedd ambell blismon gwlyb iawn o gwmpas yr ardal!

Yr aelod Llafur John Morris, neu Arglwydd Aberafon, oedd Ysgrifennydd Gwladol Cymru ar y pryd; a daeth ar ymweliad i Gaernarfon i agor swyddfeydd newydd y llywodraeth leol yn Twtil. Roedd yr adeilad yn debyg iawn i gastell a gelwid ef yn *Colditz* gan drigolion lleol!

Codais John Morris o'r orsaf ym Mangor a theithio am dref y Cofis. Holais dros radio'r car ble yn union oedd y swyddfeydd newydd, a chefais gyfarwyddyd i yrru ar hyd Stryd Bangor tan y gwelwn ddau blismon yn sefyll ar gornel cyn cyrraedd Pendist. Dyma droi i fyny'r allt heibio Llyfrgell y dref, ac i mewn i faes parcio. Doedd neb yno i'n cyfarch. Ymhen sbel, ymddangosodd pen bach rownd y gornel a dweud wrthym fod y gwahoddedigion i gyd, yn cynnwys yr Aelod Seneddol Dafydd Wigley, maer y dref, Cadeirydd y Cyngor Sir a'r holl syrcas yn sefyll o flaen yr adeilad; a ninnau wedi gyrru i fyny rownd y cefn! Yn ôl â ni i'r car a gyrru yn ôl i lawr i Stryd Bangor ac i fyny allt Twtil; ond pan gyraeddasom flaen yr adeilad doedd neb yn fanno chwaith! Roedd pawb wedi rhedeg i'r maes parcio yn y cefn atom ni!

Doedd dim i'w wneud ond aros lle'r oedden ni iddyn nhw redeg yn ôl atom a chafodd y swyddfa, o'r diwedd, ei hagor yn swyddogol! Roedd gwên ar wyneb John Morris ond roedd Arolygydd yr Heddlu, a oedd yn trefnu'r seremoni, mor flin nes ei fod yn dawnsio!

'A chditha,' meddai'r Arolygydd wrth y plismon oedd i fod i'n harwain, 'ti'n blydi byw yn y dre 'ma!'

Efallai y dylwn fod wedi disgwyl anhrefn yng Nghaernarfon – wedi'r cyfan, pan agorwyd toiledau newydd nid nepell o swyddfa newydd Cyngor Gwynedd yn Twtil, dywedodd rhyw hen wag o Gaernarfon mai Marcwis Môn ddylai eu hagor yn swyddogol. Pan ofynnwyd iddo pam, atebodd yn Saesneg: '*because he's the highest peer in the land*'.

Un ymweliad tanllyd rwy'n ei gofio'n iawn yw ymweliad yr Arglwydd Hailsham, yr Arglwydd Ganghellor yng nghabinet Margaret Thatcher, â Phrifysgol Bangor. Rhyw ychydig ynghynt, roedd wedi galw aelodau Cymdeithas yr Iaith Gymraeg yn 'Baboons', a phan gyrhaeddodd y coleg roedd torf niferus yn ei ddisgwyl. Dyma'r cyfarfod mwyaf cyffrous a welais i erioed, gyda nifer fawr o aelodau'r Gangen Arbennig yn bresennol, a chafodd y profiad argraff ddofn arno. Drannoeth, ar ddydd Sul, roedd yr Arglwydd eisiau cerdded i gopa'r Wyddfa – ac wrth gwrs, roedd yn rhaid ei warchod yr holl ffordd i'r top! Am y tro cyntaf yn fy ngyrfa, bu'n rhaid i mi ddweud na fyddwn yn gallu ei warchod oherwydd bod y fogfa arna' i, a chefais deithio ar drên bach cynta'r bore i archwilio'r caffi cyn iddo gyrraedd.

Pan gyrhaeddodd Hailsham y brig, roedd un o'm cydweithwyr wrth ei ochr yn ymladd am ei wynt a'i wyneb yn goch. Roedd yn rhaid iddo gyfaddef nad oedd mor ffit â'r Arglwydd, a hwnnw'n agos at ei 70 oed!

Pennod 10

Llosgi Tai Haf a Chraig-y-don

Gan ein bod, erbyn y saith degau cynnar, wedi sefydlu Cangen Arbennig lawn amser yng Ngogledd Cymru, rhaid oedd mynd ar gyrsiau hyfforddi a gynhelid ddwywaith y flwyddyn gan y Gangen Arbennig yn New Scotland Yard neu'n Grosvenor Square gydag MI5. Cyrsiau oedd y rhain am eithafwyr – eu hamcanion a'u harferion. Ar ddiwedd sesiwn prynhawn un o'r cyrsiau agorodd drws enfawr yng nghefn y dosbarth a thu ôl iddo roedd bar yn llawn o ddiodydd. Y syniad, mae'n siŵr, oedd i'r cynrychiolwyr a oedd yno o bob swyddfa'n perthyn i'r Gangen Arbennig drwy Gymru a Lloegr, gael rhyw ddiferyn er mwyn i'r tafod lacio ychydig – a dweud mwy nag y byddem mewn adroddiadau swyddogol am wahanol achosion! Pan fyddem yn gadael yr adeilad roeddem yn ymwybodol ein bod yn cael ein dilyn gan dîm o'r adain wyliadwriaeth a oedd yn ein defnyddio ni i ymarfer eu gwaith. Cofiaf un tro dri ohonom yn aros mewn gwesty yn Stryd Bayswater, a chael ein dilyn. Er mwyn ceisio drysu'r swyddog, gwnaethom gynllun – ar ôl cyrraedd y gwesty, byddai un ohonom yn rhedeg i'r tŷ bach, yr ail yn mynd i fyny yn y lifft a'r trydydd yn mynd i'r bar ac archebu tri wisgi.

Cyrhaeddodd y dyn bach mewn cot law hir a safodd yr ochr arall i'r bar. Pan ofynnwyd i'm cyfaill dalu am y wisgi, dywedodd wrth y barman fod y dyn bach yr ochr arall i'r bar yn talu! Rwy'n siŵr na chafodd y swyddog MI5 farciau uchel am ei waith y noson honno.

Roedd y cyfrifoldeb am losgi'r 200 o dai haf rhwng 1979 ac 1992 yn cael ei hawlio gan Feibion Glyndŵr. Y peth cyntaf y

BOMB RECENTLY DELIVERED BY INNOCENT MEANS

(Letter or parcel through Post Office, package by carriers)

MAY EXPLODE IF TAMPERED WITH

1. Small bomb (letter)

   4 oz or less – Place carefully in Home Office approved container. Pack with Vermiculite. Two persons to carry container.

   – OR –

   More than 4 oz – Place carefully in nearest isolated, secure, dry location.

2. Large bomb (parcel)

   a. Place carefully in middle of nearest large open space.

   b. Keep it dry.

3. Stop public access and vehicles.
4. Report to Headquarters Control the details as listed on page 4.

UNEXPLODED MISSILES, SHELLS, MINES GRENADES, AMMUNITION, ETC.

BOMB HANDED IN
LIKELY TO EXPLODE IF TAMPERED WITH

1. Put carefully in secure place.
2. DO NOT
   a. Bury.
   b. Place in metal container.
   c. Place in water.
3. Stop access to secure place.
4. Report to Headquarters Control the details as listed on page 4.

BOMB REPORTED TO BE ELSEWHERE
LIKELY TO EXPLODE IF TOUCHED OR MOVED

1. Stop public access and vehicles to scene.
2. Report to Headquarters Control the details as listed on page 4.
3. When reporting consider necessity for blast protection.

INFORMATION REQUIRED WHEN REPORTING THE FINDING OF AN UNEXPLODED MISSILE, BOMB OR OBJECT

1. By whom reported:–
   a. Name.
   b. Position.
   c. Address.
   d. Telephone number.
2. An estimate of the length of time the item has lain in the discovered position.
3. When discovered.
4. Whom to contact on arrival if different from 1. above.
5. Location (include landmarks where possible) and factors which may necessitate urgent action (including evacuation of property and cordoning off of a particular area).
6. Description:–

a. Shape	h. Post Mark
b. Length	i. Sender
c. Diameter/Width	j. Wrappings
d. Colour	k. Fastenings
e. Markings	l. Oily patches
f. Visible fuzes:	m. Balance
Nose	n. Smell
Base	o. Holes
Side	p. Springiness
g. External fittings	q. Any other

7. If buried, evidence found at site, diameter of hole of entry, etc.
8. Safety measures taken.
9. Any other relevant information.

N.B. Reports should not be delayed by the absence of all information; however, every effort should be made to answer paras. 1, 3, 5 and 8, and as much as possible of para. 6.

GWYNEDD CONSTABULARY Form No. 362
IMMEDIATE ACTION RE BOMBS etc.
BOMB PLACED BY CRIMINAL
(Suitcase, package, box, car etc.)

LEAVE WELL ALONE – STAY AWAY

1. Investigate circumstances – origin, owner, etc.
2. Report at once to Headquarters Control the details as listed on page 4.
3. Consider Safety Precautions:–
   a. Evacuation of buildings in line of possible blast.
   b. Stop public access 200 metres away and divert traffic.
   c. DO NOT use radio within 200 metres.
   d. WARN Fire, Ambulance, Gas, Electricity, Water Services, also secondary hazards, e.g. petrol storage.
4. Hold Witnesses.
5. On arrival of Bomb Disposal, tell them:–
   a. Precise location.
   b. Precautions taken.
   c. Hazards.
   d. Reason for suspicion.
   e. Witnesses.
   f. Latest information.
6. If scene to be checked before arrival of Bomb Disposal:–
   a. Make area safe.
   b. One man only to check.
   c. Consider using binoculars.
   d. Do not use radio.
   e. Be quick.
   f. Leave bomb alone.
   g. Beware wires.
   h. No check if bomb smoking.

BRYN FÔN !!

Cerdyn yn egluro beth i'w wneud ar ddarganfod bom neu ffrwydron. Mae'n fy atgoffa o achos Bryn Fôn gan na ddilynwyd y canllawiau hyn bryd hynny!

bu'n rhaid i ni ei ystyried oedd y posibilrwydd eu bod yr un bobl â MAC gynt, ond doedd dim tystiolaeth o hynny. Pan ddechreuodd y llosgi, ar f'ysgwyddau i y disgynnodd y cyfrifoldeb am ymchwilio i'r achosion.

Y cyntaf i'w losgi oedd Tyddyn Gwêr ar fynydd Nefyn yn Llŷn ar 13eg Rhagfyr, 1979, ac yn ystod yr un noson llosgwyd tri thŷ arall – Sŵn y Môr yn Llanbedrog a'r ddau arall o fewn canllath i'w gilydd yn Llanrhian, gogledd Penfro. O fewn y mis roedd wyth o dai haf wedi'u llosgi. Roedd amheuaeth bod gan Gymdeithas yr Iaith Gymraeg ac Adfer gysylltiad â'r digwyddiadau oherwydd bod y Gymdeithas wedi bod yn torri ar draws ocsiynau eiddo yng Nghaernarfon yn 1972; ond roedd yr aelodau yn gwrthod y cyfrifoldeb am gynnau'r tanau. Cefais alwad gan rywun o Lan Ffestiniog yn cyfaddef i'r weithred, ond ddaeth dim o hynny. Roedd teimlad o fewn yr heddlu bod cysylltiad â'r sîn roc Gymraeg; y bandiau yn helpu i gario ffrwydron yn eu faniau wrth deithio ar hyd a lled Cymru i'w gigs, ond doedd dim tystiolaeth bendant i brofi hynny. Roedd amheuaeth hyd yn oed mai MI5 eu hunain oedd yn gyfrifol am y tanau er mwyn corddi'r dyfroedd yn nyddiau Thatcher. Efallai nad oedd hynny'n rhy bell o'r gwir gan fod rhai yn dweud iddynt weld ceir dieithr yn ardaloedd y tanau...

Sir Feirionnydd oedd yn ei chael hi waethaf o ran y nifer o dai a losgwyd. Roedd pwysau gwleidyddol trwm ar yr heddlu i ddatrys y broblem a dod â'r troseddwyr i gyfraith.

Ar Sul y Blodau, 1980, cafwyd ymgyrch trwy Gymru gyfan gan y pedwar heddlu rhanbarthol i arestio'r llosgwyr, *Operation Tân*. Aeth tri chant o heddweision i gartrefi 30 o bobl (rhai ohonynt yn genedlaetholwyr amlwg) ac arestiwyd hwy'r bore hwnnw ar sail gwybodaeth a dderbyniwyd gan gachgi o Gymro – cafwyd hwy i gyd yn ddieuog o'r troseddau a bu'r holl ffiasco yn fater o embaras i'r awdurdodau. Nid oedd fy hen gyfaill, y diweddar Roy

Davies, pennaeth y CID yn Llanelli, a minnau yn cydweld â'r cynlluniau. Am fy mod yn cael fy amau o gydymdeimlo â'r llosgi a'r llosgwyr, ni chefais ran yn yr ymgyrch arestio nac archwilio tai'r rhai oedd wedi cael eu cadw dros nos mewn gorsafoedd heddlu ledled Cymru. Teimlwn fod rhywbeth o'i le ar y ffordd yr oedd yr holl beth wedi ei drefnu gan yr heddlu – roeddwn i yn gwybod o'r dechrau mai gwastraff amser oedd y cyrch ond ni wrandawodd y penaethiaid arna' i. Roeddwn yn falch iawn nad oeddwn wedi bod yn rhan o'r ymgyrch, ond gwyddwn hefyd bod fy nghyfnod yn y Gangen Arbennig yn dirwyn i ben.

Yn 1982, gan fy mod wedi anghydweld â rhyw uwch-arolygydd yn y Pencadlys ynglŷn â'i farn ar sut i gynnal yr ymholiadau i ddatrys y broblem llosgi tai haf, cefais fy symud o'r Gangen Arbennig i'r Adran Atal Troseddau yn adran Conwy o Heddlu Gogledd Cymru. Efallai fy mod yn cael fy amau o gario straeon ac nad oeddent yn ymddiried ynof – yn sicr, roedd rhywun yn pasio gwybodaeth i bennaeth y CID ar y pryd, ond nid fi oedd hwnnw. Ger Llandudno mae ardal hardd o'r enw Craig-y-don, ac os oedd swydd rhywun yn cael ei hisraddio, roeddem ni'r hogiau'n dweud ei fod yn cael Craig-y-don – i ni roedd yn golygu 'Cic yn Dîn'!

Rwyf bron yn sicr bod rhywrai wedi bod yn clustfeinio ar fy ngalwadau ffôn personol yn y cyfnod hwnnw, oherwydd roedd sŵn rhyfedd ar y lein pan fyddwn yn ei ateb. Gwelais weithiwr mewn lifrai Telecom ar ben polyn teleffon dros y ffordd i'm cartref un diwrnod, ac euthum ato a gofyn iddo a oedd yn tapio fy ffôn. Daeth i lawr y polyn ar wib, i mewn i'r fan – heb gau'r drysau – a gadael ar gyflymdra mawr! Cymryd y peth yn ysgafn wnes i – roeddwn yn gwybod na fyddai neb yn clywed dim o werth!

Felly dyna ddiwedd fy ngwaith yn y Gangen Arbennig ar ôl pedair blynedd ar ddeg. Derbyniodd tîm Amwythig bob clod a dyrchafiadau yn eu rhengoedd gan eu hanrhydeddu â'r OBE a'r CBE, a phenodwyd Ray Kendal yn bennaeth Interpol yn Geneva. Pot cwrw arian gefais i, a '*Det. Constable Elfyn Williams from his colleagues, Special Branch Unit, Shrewsbury*' wedi'i gerfio arno. Mi fyddai 'diolch' wedi bod yn neis.

Mae llawer o'm ffrindiau, yn ogystal â newyddiadurwyr ar y cyfryngau, wedi gofyn i mi yn aml mewn sut gyflwr oedd fy nghydwybod wrth weithio gyda'r Gangen Arbennig. Fy ateb wrth gwrs, yn swyddogol, oedd mai dim ond job o waith oedd y cyfan. Pe bawn wedi gwrthod mynd i'r Amwythig yn 1968, efallai y buaswn wedi gorfod ymddeol o'r heddlu. Roedd y dewis hwnnw allan o'r cwestiwn – roedd fy ngwraig yn disgwyl ein plentyn cyntaf ac nid oedd gennyf dŷ fy hun ar y pryd, ac euthum yno er mwyn sicrhau gyrfa a dyfodol llewyrchus.

Erbyn diwedd fy nghyfnod yn y Gangen Arbennig cariwn lyfr lloffion fy merch Lisa gyda mi, gan fy mod, erbyn hynny, yn gwarchod nifer o bobl enwog a phwysig. Pe byddwn wedi meddwl am wneud hynny flynyddoedd ynghynt, byddai llawer mwy o enwau ynddo!

Yr enw cyntaf yn y llyfr yw un Margaret Thatcher. Roedd ei ditectif personol hi, Barry Stevens, yn ffrind i mi; a phan fyddai'n ymweld â gogledd Cymru yma gyda ni y byddai o'n aros. Cefais y fraint o gyfarfod Mrs. Thatcher sawl tro – pan ddaeth i agor ffatri Hotpoint yng Nghyffordd Llandudno gwnaeth argraff arnaf fel dynes ffit iawn. Cerddai'n gyflym ac nid oedd ond angen ychydig iawn o gwsg arni. Dro arall roedd hi'n aros mewn gwesty ym Mae Trearddur, ac roeddwn ar ddyletswydd drwy'r nos ar y landing tu allan i ddrws ei hystafell wely gyda gwn. Am bump o'r gloch y bore cyrhaeddodd dynes i wneud ei gwallt, a rhaid oedd archwilio ei bag cyn caniatáu iddi fynd i mewn i'r ystafell wely!

Un arall y bûm yn ei warchod oedd Ian Paisley. O dan ei enw yn y llyfr lloffion dyfynnodd ddwy adnod o Epistol Paul at yr Effesiaid:

> '... a gweddïwch drosof finnau y bydd i Dduw roi i mi ymadrodd, ac agor fy ngenau, i hysbysu'n eofn ddirgelwch yr Efengyl. Trosti hi yr wyf yn llysgennad mewn cadwynau. Ie, gweddïwch ar i mi lefaru'n hy amdani, fel y dylwn lefaru.'

Adnod yn ei ddisgrifio i'r dim! Ar wyliau gyda'i wraig a'i ddwy ferch oedd o ar y pryd, ac yn aros yng ngwesty'r *Bull* ym Miwmares. Bryd hynny, dim ond yng Ngogledd Iwerddon y byddai gwarchodwyr gydag ef, ond ffoniodd y Pencadlys ym Mae Colwyn yn hawlio swyddogion i'w warchod. Dywedodd y Prif Arolygydd Clarke wrthyf am fynd i Fiwmares i'w gyfarfod pe byddai'r gwaith yn dawel y diwrnod hwnnw. Bûm gydag ef am wythnos gyfan! Yng nghapel Moriah, Llangefni bu'n rhaid tynnu ei lun yn y pulpud gyda'i freichiau yn yr awyr. Dywedodd fod John Elias o Fôn yn arwr iddo, a'i fod wedi seilio ei arddull bregethwrol arno. Pan aethom am dro i chwarel Llechwedd, Blaenau Ffestiniog, stopiwyd y car ger castell Dolwyddelan, a dywedais wrtho mai yn y tŷ o'n blaenau y cafodd John Elias ei eni, ond erbyn gweld, ar y llechen ar dalcen y tŷ roedd enw John Jones, Tal-y-sarn. I geisio cuddio fy nghamgymeriad gwaeddais ar dop fy llais: '*Sergeant! You haven't dome your homework. This is John Jones, Tal-y-sarn.*'

Aethom o amgylch amgueddfa'r Methodistiaid Calfinaidd, ac meddai'r gŵr a oedd yn edrych ar ôl y lle wrth Paisley;

'*Mr Paisley, the English did not beat us – they swarmed us like locusts!*'

Trodd y Gwyddel ataf, gan ddweud yn dawel: '*He thinks I'm IRA!*'

Dro arall, aethom am de i dŷ'r Arglwydd Cledwyn Hughes ym Mae Trearddur, a bu'n rhaid i mi chwarae yn y tywod gerllaw gyda'i ddwy ferch ifanc. Dywedodd Paisley wrtha' i y diwrnod hwnnw ei fod yn fwy enwog pan oedd yn y carchar! Yr oedd wedi ysgrifennu llyfr tra oedd o dan glo, ac addawodd anfon copi i mi – ond ni welais yr un hyd heddiw!

Gŵr arall y bu i mi ei warchod oedd Roy Jenkins, a fu'n ddirprwy arweinydd ar y Blaid Lafur: dyn sych iawn, yn ysmygu sigârs ac yn yfed brandi pan fyddai allan o olwg y cyhoedd. Cafodd ei dad ei arestio gan Heddlu'r De mewn

Tynnwyd y llun hwn ar bier Llandudno, lle bûm yn arsylwi ar deithwyr oedd yn gadael y dref mewn cychod. Bwriad hyn oedd gwneud yn siŵr na fyddai neb yn gallu mynd â bomiau i Iwerddon drwy'r 'drws cefn'. Fodd bynnag, gan nad oedd llawer i arsylwi arno, treulias ddyddiau difyr mewn deckchair *yn torheulo!*

streic flynyddoedd ynghynt, a theimlwn nad oedd yn rhy hoff o blismyn!

Un arall o'r blaid Lafur y bûm yn gofalu amdano oedd Michael Foot. Roedd ar ymweliad â Blaenau Ffestiniog ac yn canfasio dros ymgeisydd Llafur etholaeth sir Feirionnydd. Roedd yn flêr gyda'i drefniadau a chyda'i wisg. Pan oedd yn cael te yn swyddfa'r blaid es i fyny i'r dref, a beth welais y tu allan i westy'r Queen's, ar ben lori os cofia i'n iawn, oedd ymgeisydd ifanc o Blaid Cymru yn annerch y dorf. Arhosais i wrando a chefais fy mhlesio gyda'i arddull a'i argyhoeddiad. Pwy oedd y gŵr ifanc? Neb llai na'r Arglwydd Elis-Thomas. Ond doedd ganddo fawr o feddwl o'r ffaith fod un o'i gynulleidfa yn cario gwn!

Byddaf yn chwerthin wrth gofio'r diwrnod a dreuliais yn gwarchod Harold Wilson. Roeddem wedi derbyn gwybodaeth o le da bod cynllwyn ar droed gan Brotestaniaid Gogledd Iwerddon i'w saethu yn Llandudno, felly bu'n rhaid newid y trefniadau ar fyr rybudd, gan gynnwys pryd yr oedd i fod i gyrraedd gwesty'r Esplanade ar y prom. Stopiwyd gyrrwr y car ym Mae Colwyn – Mr Wilson oedd perchennog y modur, ond roedd dreifar ganddo – roedd Mary ei wraig yn eistedd yn y sedd flaen a Harold yn y cefn. Roeddwn i mewn Ford Anglia yn teithio o flaen Wilson, ond tu allan i westy'r Imperial stopiodd *sbortscar* isel yn sydyn, methais stopio a tharodd fy Ffordyn ef. Daeth wig y ferch oedd yn eistedd yn sedd flaen y car i ffwrdd, a dyma 'nghyfaill, Gwynne Owen, yn rhoi bloedd: 'Mae'i phen hi wedi dod i ffwrdd!'.

Cyrhaeddodd Harold y gwesty'n ddiogel, ond fore trannoeth bu'n rhaid i mi fynd i orsaf yr heddlu Llandudno i wneud datganiad am y ddamwain. Ofnwn eu bod am fy nghyhuddo o yrru'r car yn ddiofal, ond ar ddiwedd y cyfweliad dywedais fy mod yn bwriadu galw tyst i'r ddamwain a'r hyn oedd yn digwydd ar y pryd. Gofynnodd yr uwch-swyddog i mi beth oedd enw'r tyst. 'Mrs Mary Wilson, 10 Downing Street, Llundain,' meddwn. Chlywais i ddim mwy am y mater wedi hynny!

Roeddwn yn gwarchod yr Arglwydd Cledwyn Hughes pan agorodd gronfa ddŵr Llyn Alaw yn Sir Fôn yn 1966. Roedd y derbyniad swyddogol a'r bwyd yn cael ei gynnal yn Ysgol Thomas Jones, Amlwch. Tua hanner ffordd drwy'r wledd dyma Cledwyn, a oedd ar y pryd yn Ysgrifennydd Gwladol Cymru, yn cael ei alw at y ffôn. Roedd wedi cynhyrfu'n lân ar ôl derbyn yr alwad. Dywedodd wrthyf fod hofrennydd yn dod i'w gyrchu ymhen rhyw bum munud, a'i fod yn bwriadu glanio ar gae'r ysgol. Cafodd ei gario'n syth i Aberfan, lle'r oedd tomen o wastraff glo wedi llithro i lawr llethrau'r bryn. Mae'n rhyfedd o beth bod rhywun yn cofio'r fan, y lle a'r amser pan fo trychinebau mawr yn digwydd.

Arwyddodd yr Arglwydd Cledwyn Hughes lyfr lloffion Lisa ar ddiwrnod trychineb Aberfan – ac mae ei lofnod ynddo eilwaith hefyd: 'Cofion cynnes, Cledwyn, Hydref 1981'. Roeddwn ar y Sgwâr yn Llangefni pan gyhoeddwyd bod Cledwyn Hughes wedi ennill yr etholiad i'r senedd; ag yntau'n sefyll ar y balconi yn Neuadd y Dref gyda Jean, ei wraig, wrth ei ochr. Yn sydyn, rhoddodd Jean sgrech – roedd rhywun o'r dorf wedi taflu darn o arian a hwnnw wedi ei tharo uwchben ei llygad, nes yr oedd yn gwaedu.

Y diwrnod canlynol, pan oedd Cledwyn yn bwriadu mynd o amgylch Sir Fôn i ddiolch am y gefnogaeth a gafodd, gofynnodd a fuasai'n bosibl iddo gael ei warchod gan yr heddlu. Felly y bu hi. Dechreuodd y daith yng Ngaerwen, lle rhoddodd ddatganiad o ddiolch ar y corn siarad, rhywbeth tebyg i hyn:

'Roedd hi'n agos iawn yn yr etholiad y tro yma, ond pan agorodd y swyddogion flwch pleidleisio Gaerwen, roeddwn yn gwybod fy mod wedi ennill. Diolch yn fawr i chwi bobl Gaerwen.'

Fi yn gwarchod Jim Callaghan yn Llandudno – hwn yw un o'r unig luniau ohona' i ar ddyletswydd, oherwydd fel arfer byddwn yn ceisio osgoi ffotograffwyr!

Symudodd ymlaen wedyn i Frynsiencyn, rhoddodd anerchiad yn y fan honno wedyn ar y corn siarad:

'Roedd hi'n agos iawn yn yr etholiad ddoe, ond pan agorodd y swyddogion flwch pleidleisio Brynsiencyn, roeddwn yn gwybod fy mod wedi ennill. Diolch i chwi bobl Brynsiencyn.'

Ailadroddwyd yr anerchiad yma yn Amlwch, Llangefni a phob pentre arall ar yr ynys. Ond nid oedd ymweliad â Biwmares na Benllech – ysgwn i pam?

Roedd Jim Callaghan yn foi hawddgar i fod yn ei gwmni – a dweud y gwir, o 'mhrofiad i, roedd pob gweinidog yn y Senedd, o'r tair plaid, yn hawdd gweithio gyda hwy (pob un ond Roy Jenkins o'r blaid Lafur a Nicholas Edwards o'r blaid Geidwadol). Yn y Swyddfa Gymreig, y gorau oedd Wyn Roberts, Arglwydd Tan-y-gwalia, Ro-wen.

Cofiaf fod gyda Peter Thomas (Barwn Thomas o Wydir), a oedd ar y pryd yn Ysgrifennydd Gwladol Cymru, yn Rhuthun, a dyma fo'n gofyn a fuaswn yn ei warchod gyda'r nos. Roedd ei wraig, Tessa, adref yn wael. Rhaid oedd newid i'm dillad gyda'r nos (nid pyjamas!) ac roedd gennyf bedwar dici bô, un ym mhob un o liwiau'r pedair plaid, ar gyfer y fath achlysuron. Ni wisgais yr un gwyrdd o gwbl!

Bryd hynny, nid oeddem yn gwarchod gweinidogion y goron pan oeddynt yn mynychu cyfarfodydd gwleidyddol, felly bu'n rhaid i mi ffonio fy Uwch-arolygydd, Tony Clarke, i ofyn am ganiatâd i fynd. Cefais y caniatâd, a defnyddiais gar a gyrrwr y Swyddfa Gymreig i fynd adref i newid. Yna, galw am Peter yn ei fwthyn bach yn Nhal-y-bont, Dyffryn Conwy a mynd yn fy mlaen i Dan-y-gwalia, Ro-wen i nôl fy nghyfeillion Wyn ac Enid Roberts. Wedi cael rhyw ddrinc bach, i ffwrdd â ni i Gastell Penrhyn ger Bangor i ddawns Ceidwadwyr gogledd Cymru. 'R un hen gân – Peter yn rhoi arian tu ôl i'r bar gan ddweud:

'Dyma'r plismon sy'n fy ngwarchod yma heno. Dyro beth bynnag mae o eisiau i'w yfed iddo fo.'

Roedd Wyn yn dawnsio gyda gwragedd dosbarth canol ariannog; rhai yn hen ac wedi gorddefnyddio'r *rouge* a'r powdrau, ac yn gwisgo'u ffỳrs a'u ffrogiau hir. Cofiaf feddwl ei bod yn ddyletswydd ar Wyn i ddawnsio gyda phobl fel hyn – gan mai dyma ffynhonnell ei gefnogaeth ariannol. Teimlais yn anghyfforddus yng Nghastell Penrhyn yn fy nici bô wrth gofio fy nyddiau'n blismon yn y Blaenau, yn mynd â chyrff yr hen chwarelwyr am *bost mortem* i'r Corffdy yn Ysbyty'r C&A; a geiriau'r diweddar ddoctor Gerald Evans, y patholegydd, wrth dynnu'r ysgyfaint o'r corff a'i ollwng i fwced enamel: 'Dyma sylfaen cyfoeth teulu'r Penrhyn'.

Rhaid cydnabod heddiw gyfraniad gwerthfawr yr Arglwydd Wyn Roberts i ddiwylliant Cymru a'r iaith Gymraeg, yn ddistaw a di-ffỳs. Credaf nad oedd Cymdeithas yr Iaith Gymraeg yn gwerthfawrogi'r cyfraniadau ariannol i'r Gymdeithas Lyfrau ac i ysgolion Cymraeg y wlad yr oedd yn gyfrifol amdanynt. Rwyf o'r farn bod Wyn Roberts yn Gymro diffuant yn ei galon.

Am fy mod wedi digwydd crybwyll Cymdeithas yr Iaith, hoffwn ddweud bod 'Cymru am Byth. Dafydd Iwan, i Lisa,' yn ymddangos yn llyfr lloffion fy merch yn ogystal. Roedd y berthynas rhwng y Gymdeithas â'r Gangen Arbennig yn un o gariad a chasineb – roeddem yn gweld ein gilydd yn aml iawn mewn ralïau a gorymdeithiau. Mae'n siŵr fod cydymdeimlad i'r achos o achub yr iaith ymysg y plismyn a oedd yn siarad Cymraeg, ond pan fyddai'r Gymdeithas yn torri'r gyfraith drwy ddifrodi arwyddion ffyrdd, adeiladau ac yn y blaen, roedd yr heddlu yn cael eu cyflogi i ddelio â'u haelodau yn unol â'r gyfraith. Nid oeddem yn eu cyfrif yn eithafwyr nac ychwaith yn gyfrifol am achosi'r ffrwydradau a digwyddodd rhwng 1966 a 1969, ond yn Eisteddfod Genedlaethol Bangor yn 1971 cefais brofiad annymunol iawn yn eu cwmni. Roeddwn ar ddyletswydd ar y pryd, ond yn cerdded o amgylch y maes gyda'm gwraig a'm merch ddwyflwydd oed yn y pram. Digwyddodd rhyw naw o aelodau Cymdeithas yr Iaith fy adnabod, a gwnaethant gylch o'm cwmpas a phwyntio eu bysedd ataf gan adrodd: 'Bradwr, Bradwr, Bradwr!', a dychryn Helen. Wrth gofio fy mhrofiad gyda'r Archesgob Makarios yng Nghyprus a'r digwyddiad yma, tydi o'n ddim rhyfeddod i mi droi fy nghefn ar wleidyddiaeth Gymreig ac ymuno mewn blynyddoedd wedyn gyda'r Democratiaid Rhyddfrydol fel Cynghorydd Sir yr hen Wynedd a Chonwy. Ni siaradais yr un gair o Saesneg ym mhwyllgorau'r cynghorau yma. Fel y dywedodd Dafydd Elis-Thomas unwaith, tydi'r iaith Gymraeg ddim yn perthyn i'r un blaid, nid i Blaid Cymru chwaith – mae uwchlaw gwleidyddiaeth. Prysuraf i ddweud nad oedd Dafydd yn un o'r naw ar faes yr Eisteddfod y diwrnod hwnnw.

Un arall y cefais y profiad o'i warchod oedd yr Arglwydd Jellicoe – roedd i gyrraedd gorsaf Bangor un bore Sadwrn ym mis Tachwedd ac am ei fod yn Arweinydd y Ceidwadwyr yn Nhŷ'r Arglwyddi roedd yn deilwng i gael ei warchod. Daeth i lawr grisiau'r orsaf ar ei ben ei hun. Doedd neb yno ond fi i'w gyfarfod. 'Arglwydd Jellicoe,' meddwn, 'dewch i 'nghar i.' Gofynnais i ble'r oedd yn mynd. I Blas Newydd, meddai. Cyfarfod i drafod dyfodol *HMS Conway* oedd yr achlysur a chawsom fwyd yng nghartref Captain Hewett, prifathro'r ysgol forwrol. Meddai Jellicoe wrthyf, 'Pan ydw i yn bwyta, rwyt ti i fwyta'r un bwyd ac yn yfed yr un diodydd â mi!' Wel, doeddwn i ddim mewn sefyllfa i wrthod! Ar ôl gorffen y cyfarfod bu'n rhaid teithio i westy'r Marine yng Nghricieth, a'r un oedd y stori – aeth at y bar a rhoi arian arno gan ddweud wrth y barman:

'This is my protection officer from Scotland Yard: give him all the drinks he wants.'

Roedd hyn yn digwydd yn aml iawn. Dawns Ceidwadwyr Sir Gaernarfon oedd yn cael ei chynnal yno, ac am hanner nos penderfynais fynd allan am awyr iach. Daeth Jellicoe ar f'ôl i, gan ddweud bod car yn dod i'w gasglu am hanner nos a'i ddanfon yn ôl i Lundain. Aeth yn syth i sedd ôl y car, a ffarweliais â fo. Codais fore drannoeth, Sul y Cofio, a gweld yr Arglwydd Jellicoe ar y teledu yn gosod torch o babi coch ar y Senotaff ar ran Tŷ'r Arglwyddi. Dywedais wrth Helen fy mod yn eistedd ar risiau gwesty'r Marine, Cricieth yn ei gwmni lai na deuddeng awr ynghynt. Roedd hyn yn dystiolaeth o ba mor galed yr oedd rhai o'r gwleidyddion yn gweithio. Sbel wedi hynny, cafodd yr hen Jellicoe ei ddal gyda merched y nos, a dyna fu diwedd ei yrfa wleidyddol.

Rhyw fore Sadwrn derbyniais alwad ffôn gan y swyddog a oedd yn edrych ar ôl y Tywysog Edward, Dug Caint yn gofyn a fuaswn yn gwarchod y Dug dros y Sul oherwydd ei fod angen cymryd diwrnod i ffwrdd o'i waith.

Y trefniant oedd y byddai'r Dug (cefnder i'r Frenhines) a'i fab, Iarll St Andrews, yn cyrraedd fferm yn Saltney, Sir Fflint yn ei Jaguar gwyrdd, i gymryd rhan mewn cystadleuaeth saethu colomennod clai. Daeth fy hen gyfaill, y Ditectif Arthur Vaughan Jones, gyda mi.

Cystadleuaeth ydoedd rhwng timau o Dŷ'r Arglwyddi, enwogion o'r byd chwaraeon, a'r teulu brenhinol. Yn y tîm brenhinol roedd Dug Caint a'i fab a Mark Phillips (a oedd yn siarad â rhywun fel petai ganddo daten boeth yn ei geg). Tîm yr Arglwyddi oedd yr Arglwydd Hesketh, y Barwn Montagu o Beaulieu, a Marcwis Kildare (Dug Leinster erbyn hyn). Y sbortsmyn oedd y pêl-droediwr Jackie Charlton o Leeds, Jackie Stewart, neu'r *Flying Scot*, y rasiwr ceir, a'r sylwebydd Tony Gubba. Cefais lofnodion pob un (heblaw rhai'r teulu brenhinol) yn llyfr Lisa. Pan ddaeth amser cinio, oedodd y Dug cyn mynd i mewn i babell Volvo, gan ddweud wrthyf na allai fwyta yno oherwydd ei fod yn Gadeirydd ar Gymdeithas Cynhyrchu Ceir Prydain – rhag ofn i aelod o'r wasg gael llun ohono yn cefnogi cwmni o Sweden. Cefais hyd i ryw garafán gyfagos a gorfod cario, ie, yr union fwyd, iddo ar hambwrdd. Roedd y cwmni wisgi Glenfiddich hefyd yn gyfrifol am drefnu a noddi'r saethu. Ie, diwrnod da, ac roedd yr hen Arthur Vaughan wedi dechrau ei dal hi'n braf ac wedi dod yn ffrindiau gyda'r Iarll, gan ddweud wrtho ei fod yn saethu yn wych – a hwnnw wedi methu pob colomen!

Yn fuan ar ôl i David Steel gael ei ethol i fod yn arweinydd y Blaid Ddemocrataidd, daeth i Landudno ar gyfer cynhadledd genedlaethol, ac aros yng ngwesty'r *Grand*. Roedd ei nerfau mewn cyflwr drwg gan ei fod ar fin rhoi ei araith gyntaf fel arweinydd ei blaid, a bu'n rhaid i ni archwilio ei ystafell ddwywaith, gan ei 'selio' wedyn (a oedd yn golygu ein bod yn rhoi tâp o amgylch y drysau a'r ffenestri ar ôl archwilio ystafell). Pe byddai galwad ffug yn dod i law yn dweud bod ffrwydron yn yr ystafell, roeddem bron yn sicr, pe byddai'r tâp heb ei dorri, mai ffug oedd yr alwad.

Roedd yn rhaid hefyd amseru ei daith o'i ystafell wely, i lawr yn y lifft, ar draws y pier, i mewn i'r Pafiliwn, at ddrws y llwyfan ac at y llwyfan ei hun – chwe munud i gyd. Ar yr awr, roedd yn gadael ei ystafell, a'i nerfau yn gwaethygu! Roeddwn y tu ôl iddo. Aethom i'r lifft ac, yn sydyn, stopiodd y lifft yn stond. Dechreuodd Steel dawnsio i fyny ac i lawr.

'Peidiwch â phanicio,' dywedais wrtho. 'Wnân nhw ddim dechrau hebddoch chi!'

Ar ôl rhyw ddau funud, dechreuodd y lifft symud, ac i lawr â ni i'r Pafiliwn ac yn syth ar y llwyfan. Erbyn iddo gyrraedd, roedd ei nerfau wedi diflannu.

Daeth Dennis Healy ar ymweliad â gogledd Cymru yn 1979, gan aros yn nhŷ Barry Jones, Aelod Seneddol Sir Fflint – yr Arglwydd Barry Jones erbyn hyn. Buaswn yn ei ddisgrifio fel hen foi iawn, dyn cyfeillgar, ac yn ffrind i'r heddlu. Roedd fy nghyfaill Arthur Vaughan a minnau yn eistedd yn y car y tu allan i'r tŷ pan ddaeth Barry allan gan gyhoeddi bod y trên yr oedd Dennis Healy yn teithio arni yn hwyr. Rhoddodd botel i ni drwy ffenestr y cerbyd, er mwyn i ni gael swig fach ohoni – hanner potel o wisgi ydoedd. Cymerodd yr hen Arthur swig go dda.

Pan gyrhaeddodd Healy, aethom ag ef i Glwb Llafur Cei Conna, a oedd yn orlawn. Rhoddodd Arthur ei freichiau allan i stopio rhyw ddynes rhag mynd yn rhy agos at y gwleidydd. Dywedodd Arthur wrthi:

'I'm Mr Healy's protection officer'.

'Don't you know who I am?' atebodd y wraig. *'I'm Mrs Healy!'*

Silly Billy! Drannoeth roedd ei amserlen yn llawn, gan gynnwys taith i Flaenau Ffestiniog i gyfarfod aelodau o'r

Blaid Lafur yno ac annerch yn Neuadd Ysgol y Moelwyn – trip a ddaeth ag atgofion melys i mi am y pum mlynedd y bûm yn byw yn y dref.

Yn ystod Eisteddfod Machynlleth 1981, cynhaliodd George Thomas ginio yn Nolgellau i gyn-ysgrifenyddion Gwladol Cymru. Roedd Cledwyn Hughes, Peter Thomas, John Morris, Nicholas Edwards ac eraill yn bresennol. Roeddwn wedi eu gwarchod i gyd yn eu tro, oll cyn y flwyddyn 1985. Gofynnais i George Thomas am ei lofnod yn llyfr fy merch, ac ysgrifennodd:

> *To Lisa, Bless you dear, George Thomas, Speaker, 6 Oct. 1981.*

Gofynnais hefyd a oedd yn bosibl cael mynd o amgylch y Senedd yn Llundain. Dywedodd wrthyf am ysgrifennu ato, ac mi wnes hynny. Mae'r llythyr o ateb a gefais ganddo gennyf o hyd – cawsom wahoddiad i fynd i eistedd yn Galeri'r Llefarydd, a phwy oedd yn eistedd yno ond yr actores Joanna Lumley, sydd yn y cyfamser wedi bod yn ymgyrchu'n frwd am hawliau i filwyr y Ghurkas. Mae ei llofnod hi yn y llyfr hefyd, ond digon sych oedd hi gyda Lisa. Sylwais ei bod yn codi ei llaw i gyfeiriad un o'r aelodau yn y siambr, y Rhyddfrydwr Clement Freud a fu farw yn ddiweddar.

Cawsom fynd wedyn i fflat George am de! Roedd ganddo ddynes fach mewn tipyn o oed yn edrych ar ei ôl. Yno hefyd roedd tri archesgob o Eglwys Unedig Fethodisaidd Illinois, Yr Unol Daleithiau, yr oedd George wedi aros â hwy yn ystod ymweliad â'r Unol Daleithiau. Cyn cychwyn am Lundain, penderfynais fy mod eisiau rhoi anrheg fechan i George, felly euthum i Chwarel Llechwedd, Blaenau Ffestiniog a rhoddodd fy nghyfaill annwyl Hefin

THE SPEAKER'S
PRIVATE GALLERY

ADMIT Mr E. Williams

Tuesday 20th October 1981

Cerdyn mynediad i Galeri'r Llefarydd

Davies (sy'n cael ei adnabod fel Hefin y Ffydd), perchennog y lle, gloc tywydd llechen i mi i'w roi iddo. Pan fyddai George yn gofyn o ba chwarel y daeth y llechen, siarsiodd Hefin fi i ddweud mai o Chwarel Llechwedd y daethai, a bod Hefin Davies, y perchennog, yn gofyn am dei'r Senedd fel yr oedd George wedi ei addo iddo pan oedd y ddau yng Nghanada ar drip masnach Gymreig.

Cafodd Lisa lythyr o ddiolch gan George am y cloc tywydd – ac ynddo ymddiheurodd nad oedd wedi agor yr anrheg tra oeddem yno. Felly, ni chafodd 'rhen Hefin ei dei Senedd wedi'r cwbl!

Speaker's House Westminster London SW1A 0AA

22nd October 1981

My dear Lisa,

When I opened your beautiful present, I was absolutely thrilled and delighted with such a lovely gift, which I shall always cherish.

I did not like to open it in front of the other visitors, in case they felt embarrassed.

I was overwhelmed by the lovely gift you brought and I hope you enjoyed your visit to Parliament.

Please give my warmest wishes to your parents.

With love,

George Thomas

Speaker

Y llythyr o ddiolch am yr anrheg

PENNOD 11

SYMUD YMLAEN

Siomedig iawn oedd y teimlad o fynd yn ôl i wisgo dillad plismon am ryw ddau fis yn 1982. Gofynnais am gyfweliad â'r Prif Gwnstabl, Philip Myers, er mwyn cael rhyw fath o adborth neu reswm dros fy israddio. Yr esgus oedd nad oeddwn yn gallu saethu'n ddigon da. Esgus gwael iawn, os ca' i ddweud.

Sgwrs ar atal troseddau yn Ysgol Morfa Rhianedd. Hefyd yn y llun mae'r Arolygydd Cemlyn Williams a'r prifathro ar y pryd, Gwynfor Roberts.

Un o'm dyletswyddau wedi i mi gael fy symud i'r Adran Atal Troseddau oedd archwilio tai a rhoi cyngor ar ddiogelwch i atal lladron rhag torri i mewn i adeiladau. Fodd bynnag, roeddwn yn hapus yn y swydd: roeddwn yn ôl yn fy nillad fy hun a chefais fy ngherbyd fy hun i deithio o gwmpas.

Un tŷ diddorol y bûm ynddo oedd Drws-y-Coed ym Mhorthaethwy, cartref Hywel Hughes, Bogota, De America. Roedd o wedi marw rai blynyddoedd ynghynt, ond ar ôl gorffen yr archwiliad cefais sgwrs hir a diddorol gyda'i weddw. Roedd merch iddi a'i gŵr, oedd o ran pryd a gwedd yn debyg i arlunydd Ffrengig, yn bresennol. Roeddwn wedi cyfarfod ei merch, Teleri, a'i diweddar ŵr, amser maith yn ôl mewn partïon Ffermwyr Ifanc Môn. Teleri gafodd ei herwgipio yng Ngholombia ychydig flynyddoedd ynghynt. Cefais yr argraff gan Mrs Hughes nad oedd arian yn dod â hapusrwydd!

Rhan arall o'r swydd oedd mynd allan gyda'r nos i roi sgyrsiau i wahanol gymdeithasau ar y testun 'Atal Troseddau'. Teimlwn weithiau fy mod fel *polyfilla* yn llenwi tyllau mewn rhaglenni blynyddol. Roedd hynny am dri rheswm: nid oeddwn yn gallu gwrthod; nid oeddwn yn codi tâl ac roedd gennyf ffilm (yn Saesneg) i'w dangos i'r aelodau.

Roedd rhingyll o Ddolgellau, Derek Jones, wedi cwblhau cwrs y Swyddfa Gartref yn Stafford ar atal troseddau, a chynigiodd roi'r sgwrs i Glwb yr Henoed yn Aberdyfi yn fy lle, er mwyn arbed taith hir yr holl ffordd o Landudno i mi. Cytunais yn llawen, ond yn ystod ei sgwrs disgynnodd ryw greadur a oedd yn eistedd yng nghefn y neuadd yn farw! Wrth gwrs, roedd yn rhaid i mi dynnu ei goes trwy ddweud bod fy sgyrsiau innau hefyd yn ddiflas iawn, ond nad oedd neb eto wedi disgyn yn farw yn ystod un ohonynt!

Byddwn yn ymweld ddwywaith y flwyddyn â phobl a oedd yn dal trwydded i drin ffrwydradau – ffermwyr oedden nhw gan amlaf, er ein bod hefyd yn ymweld â rhai o chwareli Meirionnydd. Roedd yn angenrheidiol diogelu'r gynnau mewn *magazines* pwrpasol, a'm gwaith i oedd sicrhau fod popeth mewn trefn. Byddai swyddog o adran ddiogelwch Cyngor Gwynedd yn dod gyda mi i wneud yr ymweliadau hyn (nhw oedd yn rhoi'r drwydded a ninnau'r heddlu yn sicrhau diogelwch y *magazines*), ac rwy'n cofio galw ar un fferm nid nepell o'r Bala. Roedd y ffermwr y dyn butraf yr wyf wedi ei weld erioed. Roedd y tŷ yn ysglyfaethus – clwydai'r ieir yn y ffenestri (y tu mewn i'r tŷ!); roedd ei ddillad yn drewi, ac mae'n siŵr nad oedd o wedi 'molchi ers wythnosau. Ni all geiriau ddisgrifio'r budreddi. Gofynnais iddo ble'r oedd o'n mynd i gael adloniant. Cawsom ateb annisgwyl. Bob nos Iau, byddai'n mynd i lawr i'r Bala, i wneud *Ballroom Dancing* mewn gwesty yno. Ni fedrwn

Roeddwn yn hybu cynllun diogelu beics – y syniad oedd curo côd pôst y perchennog gyda morthwyl i ffrâm y beic i atal lladron. Yn anffodus, wrth i mi fynd ati i guro'r llythrennau i feic y ferch hon a oedd yn gweithio yn ffreutur y pencadlys, malodd y beic yn rhacs!

edrych ar fy nghyfaill, rhaid oedd dal fy nhafod yn fy moch, ond pan aethom yn ôl i'r car, bu'r ddau ohonom yn chwerthin nes yr oeddem yn sâl.

'Sgwn i ydi o'n tynnu ei *wellingtons* budur i ddawnsio,' meddai fy ffrind.

Fy ateb oedd:

'Sgwn i gyda phwy oedd o'n dawnsio'r *waltz* olaf!'

Wrth ymweld â fferm arall yn ardal Llan Ffestiniog, darganfyddais fag llaw dynes y tu fewn i'r *magazine*. Wrth gwrs, roedd yn rhaid gofyn beth oedd peth felly yn da yno, a dywedodd perchennog y fferm fod ei fam newydd farw ac nad oedd y brodyr eraill yn mynd i gael y cyfle i roi eu dwylo ar y bag i weld faint o arian oedd ynddo!

Cyfaill arall annwyl iawn i mi oedd y diweddar Ringyll W. H. Jones, neu Bill 5 fel y'i hadwaenid gan ei gyfeillion yn yr heddlu. Roeddem ill dau'n teithio o'n cartrefi ym Mae Penrhyn i'r Pencadlys hefo'n gilydd am gyfnod – roedd yn gweithio yno fel clerc sifil yn yr adran Drafnidiaeth cyn ymddeol yn llwyr, a minnau yn yr adran Atal Troseddau. Roedd gen i barch mawr tuag ato, a hoffwn ddweud gair amdano. Cafodd ei eni yn Aberffraw, Sir Fôn, yn 1925. Collodd ei dad yn Dunkirk a chollodd ei fam yn ogystal, a bu'n rhaid i'w chwaer roi'r gorau i'w swydd er mwyn rhedeg y cartref. Gadawodd Will Ysgol Ramadeg Caergybi yn 14 oed a mynd i weithio hefo contractwyr. Cafodd ei alw i'r Llynges am bedair blynedd ac ar ôl dod adref ymunodd â'r Heddlu ym Mangor. Yn ddiweddarach, ar ôl priodi â'i wraig, Iorwen, geneth o Feddgelert, symudodd i Drefriw. Bu'n Rhingyll yn Llanberis, Porthmadog a'r Wyddgrug cyn dod i'r Pencadlys. Roedd ganddynt dri o blant, Gwenda, Marian a Selwyn.

Er ei brofedigaeth drom o golli Iorwen, nid aeth W. H. i'r gornel. Daeth yn amlwg iawn ym mywyd Cymraeg y fro, yn selog i Eisteddfod Môn a'r Genedlaethol ac yn aelod o'r ddwy Orsedd. Roedd yn fardd medrus ac enillodd nifer fawr o gadeiriau eisteddfodol ar hyd y wlad. Yn 1990 cafodd ei godi'n flaenor yng nghapel Bethesda, Craig-y-don ac yn ddiweddarach ei anrhydeddu trwy ei ddyrchafu yn Llywydd Henaduriaeth Dyffryn Conwy, a gwnaeth y gwaith yn urddasol. Roedd hefyd yn awdur nifer o emynau.

Cyfansoddodd W. H. doreth o farddoniaeth dan ei enw barddol Gwilym Cwyfan (ar ôl Eglwys Cwyfan, Aberffraw) ond yn anffodus nid ydynt wedi cael eu cyhoeddi.

Fel llawer ohonom, cafodd Will ei ddal yn goryrru – roedd yn gwneud 34 milltir yr awr ger Gaerwen, Môn. Pan ddywedodd wrth Gwenda beth oedd wedi digwydd, meddai: 'Wel Dad, 'tydych ddim yn gwneud y *speed* yna ar y *motorway*!'

Yn Eisteddfod Caerffili 1950 enillodd parti cerdd dant Iolen o Ddeiniolen un o'r prif wobrau – roedd fy ngwraig, Helen, yn aelod, gyda'i chyfeilles, y ddiweddar Gweneth Owen; y ddwy yn ferched i gyn-chwarelwyr o Ddeiniolen. Roeddent wedi bod yn gyd-ddisgyblion yn Ysgol Brynrefail (yr hen un) ac yn ffrindiau oes. Mab Gweneth yw'r digrifwr Tudur Owen – gobeithio nad fy rhif i, 264, oedd ar ysgwydd crys cymeriad doniol Tudur, PC Leslie Wynne!

Ddeugain mlynedd yn ddiweddarach, cawsant aduniad yng Ngwesty Glantraeth, Sir Fôn. Gofynnwyd i Will am bennill i ddathlu'r achlysur, a dyma hi:

Cofio'r Oriau

Fel rhaeadrau diwedd Hydref
Yn dylifo'n drochion gwyn
Dros glogwyni serth Eryri
I gyfuno yn y llyn.

Felly ninnau heno yma
Eto'n ieuanc, neb yn hen,
Yn gyforiog o frwdfrydedd
I un mewn cyfeillach glên.

Cafodd pawb eu llwybrau llithrig
A rhai serth ac weithiau'n faith,
Ond bu hefyd heulwen hyfryd
A sawl palmwydd ar y daith.

Ble yn well nag awel Mona
I ail-gofio'r dyddiau gynt,
Ac ail-fyw y difyr oriau
Clywch y mwyniant yn y gwynt.

Ddiwedd Tachwedd 2008 bu farw Will yn yr ysbyty. Roedd y gwasanaeth angladdol yn eglwys Bethania, a'r lle'n orlawn, ddydd Mercher, 3 Rhagfyr. Cafwyd teyrngedau i Will gan ddau gyfaill iddo: John Evans, ei gyd-flaenor o'r eglwys a Machraeth (R. Griffiths), hen ffrind i Will o ddyddiau ysgol ym Môn. Bu'r ddau'n gyd-gystadleuwyr eisteddfodol, yn feirdd coronog a chadeiriol. Tynnodd Machraeth ei deyrnged i ben trwy ddarllen englynion a luniodd i W. H.

Gorffennais fy ngwaith yn yr heddlu yn gyfan gwbl ar 17 Mawrth, 1985, fel Rhingyll Dditectif.

Yn 1991 sefais mewn isetholiad dros ward Marl yng Nghyffordd Llandudno i Gyngor yr hen Sir Gwynedd. Roeddwn am sefyll fel aelod annibynnol i gychwyn, ond ar ôl pwysau trwm oddi wrth fy nghyfaill yr Arglwydd Roger Roberts, Llandudno sefais fel Rhyddfrydwr Democrataidd – ac ennill y sedd!

Yn flynyddol cynhelid cynhadledd i gynghorau sirol Cymru a Lloegr i drafod syniadau a pholisïau, a'r flwyddyn arbennig honno roedd yn cael ei chynnal yn Winchester, swydd Hampshire. Cefais fynychu ar ran grŵp Rhyddfrydol Democrataidd Cyngor Gwynedd. Un gyda'r nos, roeddem yn aros am ein cyd-gynghorwyr yng nghyntedd y gwesty i fynd i mewn i'r ystafell fwyta i gael cinio. Agorodd y lifft, a disgynnodd yr hen W. R. P. George allan, bron wedi dychryn am ei fywyd.

'Beth sydd?' gofynnais. Atebodd:

'Mae 'na gynrychiolydd o un o siroedd Lloegr wedi

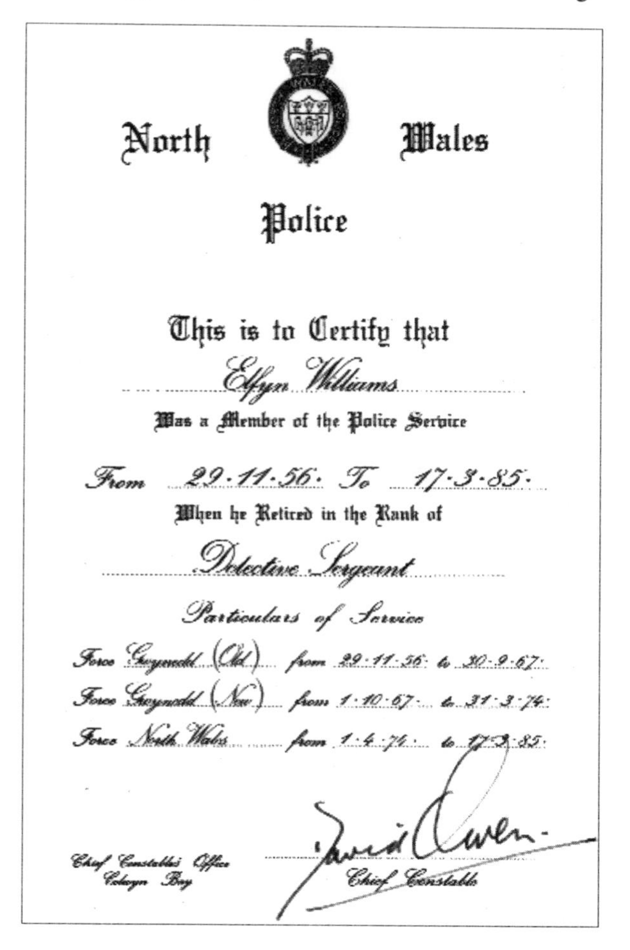

North Wales Police

This is to Certify that

Elfyn Williams

Was a Member of the Police Service

From 29.11.56. To 17.3.85.

When he Retired in the Rank of

Detective Sergeant

Particulars of Service

Force Gwynedd (Old) from 29.11.56. to 30.9.67.
Force Gwynedd (New) from 1.10.67. to 31.3.74.
Force North Wales from 1.4.74. to 17.3.85.

Chief Constable's Office
Colwyn Bay

Chief Constable

gafael ynof gerfydd fy ngholer gan fy ysgwyd, a dweud, *"You're related to that Bl**** Lloyd George who is responsible for all the troubles in Palestine and Northern Ireland".'*

Roedd yn crynu ac roeddwn innau wedi gwylltio; ond nid oedd William am ddatgelu pwy oedd y cynghorydd 'dewr' yma, na dweud enw pa sir oedd ar ei fathodyn. Fues i erioed mor agos i roi dwrn yn wyneb neb erioed pe bawn wedi profi pwy oedd yn euog o wneud hyn i'm cyfaill annwyl.

Yn ystod y cyfnod hwnnw roedd yn anrhydedd cydweithio gyda chymeriadau fel W. R. P. George, Dafydd Orwig, Canon Robert Williams, Aberdaron a Tom Jones, Penmachno. Byddwn bob amser mewn cyfarfodydd yn eistedd rhwng y Canon ac Idwal Jones Humphreys. Yn fynych byddai'r hen Idwal yn cysgu'n braf yn y cyfarfodydd, cyn deffro'n sydyn a dweud rhywbeth fel: 'Tydi'r hogan yma yn siarad yn dda'. Maent oll wedi marw erbyn hyn.

Yn ystod fy nghyfnod yn aelod o Gyngor Gwynedd fe blannwyd blodau a phlanhigion yng ngardd hen gartref David Lloyd George yn Llanystumdwy i adlewyrchu sut y byddai'r ardd wedi edrych gan mlynedd yn ôl. Roedd y prosiect yn un llwyddiannus iawn. Fel cynghorwyr cawsom de Cymreig gyda'r gŵr gwadd, y biolegydd David Bellamy, ddiwrnod yr agoriad swyddogol; ac yn yr hwyr mewn capel dros y ffordd i Amgueddfa fy arwr, cafwyd darlith awdurdodol ar flodau a phlanhigion ganddo – noson i'w chofio.

Yn ystod yr un cyfnod, cefais y pleser o gyfarfod Eirwyn Morgan, Pennaeth Coleg y Bedyddwyr, Bala Bangor, a Dr Thomas Parry. Daeth y ddau i feirniadu yn un o eisteddfodau Clwb y Gogarth yn Llandudno; clwb o 25 ohonom a fyddai'n cyfarfod i drafod materion diwylliannol a barddonol; y bûm yn aelod ohono am dros un mlynedd ar hugain. Roeddwn yn aflwyddiannus bob eisteddfod a thorrais fy nghalon yn y diwedd, ac ymddiswyddais o'r

Y Prif Gwnstabl Mike Argent a finna yn cyflwyno Cynllun Iaith yr Heddlu i Dafydd Elis-Thomas a John Walter Jones, Prif Weithredwr Bwrdd yr Iaith, 1997.

Clwb. Babi'r hen Ffowc Williams, Bethel oedd Clwb y Gogarth a chofiaf yn dda iddo ddweud wrth bob aelod newydd mai dim ond un esgus oedd dros beidio â dod i gyfarfod, sef eich bod yn mynychu angladd – eich angladd eich hun!

Cefais fy mhenodi yn 1991 i gynrychioli Rhyddfrydwyr Democrataidd Gwynedd ar Awdurdod Heddlu Gogledd Cymru, a bûm hefyd ar Bwyllgor Cenedlaethol y *National Crime Squad*. Roedd cyfarfodydd yr Awdurdod yn cael eu cynnal yn y Pencadlys ym Mae Colwyn. Y Prif Gwnstabl ar y pryd oedd David Owen – dyn diwyro, ac roedd rhywun yn gwybod lle'r oedd yn sefyll gydag ef. Yn cynrychioli'r ynadon heddwch roedd yr Arglwydd Trefor o'r Waun a Syr William Gladstone, Penarlâg (un o ddisgynyddion y cyn-Brif Weinidog William Gladstone).

Deuthum yn Gadeirydd yr Awdurdod yn y flwyddyn 1997-8, a chefais flwyddyn go galed. Roedd pedwar aelod

Llafur; yn cynnwys Alison Halford, cyn Brif Gwnstabl Cynorthwyol Glannau Merswy a drodd at yrfa mewn gwleidyddiaeth, yn arwain rhyw ymgyrch yn erbyn Michael Argent, y Prif Gwnstabl. Na, nid oedd gennyf lawer o amser i'r foneddiges – gydag 'f' fach – Halford. Roedd ganddi ryw agenda cudd yn erbyn Argent – roedd hi wedi gobeithio cael ei phenodi yn Brif Gwnstabl benywaidd cyntaf Prydain, ond methu wnaeth hi er iddi gael sawl cyfweliad am swyddi o'r fath.

Roedd y Cadeirydd a'r Prif Gwnstabl yn cael bod yn bresennol yng Nghynhadledd Flynyddol Penaethiaid a Phrif Gwnstabliaid Lloegr a Chymru (yr *Association of Chief Police Officers*) i drafod polisïau a ffyrdd newydd o weithredu. Roeddwn yn lwcus gan mai yng Nghaerdydd y cynhaliwyd y gynhadledd yn ystod fy mlwyddyn i: roedd y trefniadau yn Gymreig eu naws a'r awyrgylch yn un gartrefol. Amser cinio,

Daily Post, Friday, January 9, 1998

Why should Jack Straw see report and not me?

WAITING: Police authority chairman Elfyn Williams has not seen a copy

HOME Secretary Jack Straw has now seen a report which claims there are serious flaws in the way complaints are handled by North Wales Police, the Home Office confirmed yesterday.

But a Home Office spokesman yesterday would give no indication of what Mr Straw's thoughts were on the report other than to say it had been passed on to officials for their advice which was normal practice.

Advice

"He will then consider their advice before making any decision," said the spokesman who could not say how long the process would take.

News of the progress of the confidential report came as the chairman of the North Wales Police Authority gave his full backing to the force's top officer.

By Ian Lang
Daily Post Staff

But like the Chief Constable of North Wales, Michael Argent, the chairman of the region's police authority, Elfyn Williams, is getting increasingly frustrated that he has not seen a copy.

This is despite the fact it has been seen by members of the media and MPs have been invited to take a look at it.

Mr Williams said yesterday that he had written a letter to the four Labour councillors behind the report asking that they let him have a copy.

The matter had subsequently been discussed with one of the four, Coun Dennis Parry over the phone. But he refused to supply a copy.

"I am still in the dark," said Mr Williams, who has also written to Jack Straw asking for a copy.

Mr Williams said it was vital that the current row did not divert public attention away from the good work done by the force and Mr Argent.

"Since he arrived in Colwyn Bay, the North Wales police force has gone ahead by leaps and bounds under his leadership, especially in the field of information technology. In this respect we are leaders in the field," he said.

"I hold Mr Argent in the highest esteem and regard, both from a personal and professional point of view. His management of the force is excellent.

Confident

Publicity surrounding the report should not divert attention away from the good work done every day by the police.

He was confident that the matters included in the report, whatever they were, could be resolved by the members of the North Wales Police Authority at their quarterly meeting on January 30.

Erthygl o'r Daily Post yn sôn am yr helynt a godwyd gan y grŵp Llafur

roedd gan bob heddlu sirol fwrdd i gael bwyd. Nid oedd ein Prif Gwnstabl, Mike Argent yn bresennol, felly galwodd Prif Gwnstabl Sir Nottingham arnaf a'm gwahodd i ymuno â'i fwrdd o. Gofynnodd i mi pa sir yr oeddwn yn ei chynrychioli. Pan atebais mai cadeirydd Awdurdod Gogledd Cymru oeddwn, dywedodd wrthyf ei fod yn hoff iawn o ogledd Cymru, a'i fod yn mynd yno'n aml i ddringo'r mynyddoedd. Dyrchafwyd y gŵr bonheddig hwnnw wedyn i fod yn Brif Gwnstabl Manceinion. Ei enw oedd Michael Todd. Fuaswn i byth wedi credu'r diwrnod hwnnw mai ar lethrau'r Wyddfa y byddai'n diweddu ei oes flynyddoedd yn ddiweddarach.

Yn ystod yr un gynhadledd roedd y Democratiaid Rhyddfrydol yn cyfarfod mewn ystafell gyfagos, a gofynnwyd i mi a fuaswn yn holi cynrychiolydd o'r blaid fu ar fwrdd Awdurdod Cenedlaethol y *Crime Squad* yn Llundain am bedair blynedd. Arweinydd y grŵp oedd Angie Harris – mae hi yn Nhŷ'r Arglwyddi heddiw fel Baroness Richmond o Swydd Efrog. Roedd hi'n wraig *lovey dovey* iawn!

Trefnodd Angie Harris fy mod yn cael cyfarfod ag Alan Bieth (a oedd yn ymgynghorydd cysgodol yn y Swyddfa Gartref ar ran y Rhyddfrydwyr Democrataidd), i drafod sefyllfa'r Grŵp Llafur a oedd yn codi twrw o fewn ein hawdurdod. Profiad braf oedd trafod y sefyllfa gydag ef yn yr iaith Gymraeg, a gweld ei fod yn amlwg wedi dychryn pan ddaeth i wybod am yr ymgais i geisio tanseilio awdurdod y Prif Gwnstabl, Mike Argent.

Yn dilyn y cyfarfod hwnnw, derbyniais gardiau Nadolig o Dŷ'r Arglwyddi wedi eu harwyddo '*Love, Angie*'. Daeth Helen ar eu traws, a bu'n rhaid i mi wynebu cwestiynau wedyn, pwy oedd yr 'Angie' yma. Wel, yr ateb a gafodd hi oedd pe byddwn ar ynys gyda neb ond hi a mwnci, yna buaswn yn rhoi sws i'r mwnci!

Yn ystod y wledd ar noson ola'r gynhadledd, euthum i'r

Fy anerchiad olaf cyn diddymu'r hen Gyngor Gwynedd. Caernarfon, 1995

Charles Leigh, Is-Gadeirydd yr Awdurdod, a finna yn cael golwg ar hofrennydd newydd yr Heddlu

tŷ bach ac wrth fy ochr roedd dyn yn gwisgo *tuxedo* gwyn. Gofynnais a oedd yn aelod o'r band jazz.

'Nac ydw,' meddai, 'Un o Gôr Meibion Llanelli ydw i.'

'Wel,' atebais innau, 'Dim acen y de ydyw honna.'

'O Ddeiniolen rwy'n dod yn wreiddiol,' meddai.

'Wel, mae fy ngwraig yn eistedd yn yr ystafell fwyta, ac mae hi o Lanbabo,' dywedais wrtho, gan ryfeddu pa mor fach yw Cymru!

Yn ystafell Maer Dinas Caerdydd yr oedd y wledd yn cael ei chynnal, ac roedd y bwyd yn ardderchog. Wedi ein cyfarfyddiad yn y lle chwech, daethai'r dyn o Ddeiniolen at ein bwrdd ar ôl bron pob cân – efallai fod hiraeth ganddo am y gogledd. Dyma beth fuaswn i yn ei galw yn gynhadledd lewyrchus!

Gan fod y pedwar aelod Llafur gwrthryfelgar wedi cyfansoddi adroddiad yn beirniadu Heddlu Gogledd Cymru, ac yn arbennig y Prif Gwnstabl, anfonwyd copi ohono i'r Swyddfa Gartref; i Jack Straw, yr Ysgrifennydd Cartref. Penderfynodd Awdurdod yr Heddlu alw ar Mike Argent a minnau i fynd lawr i Lundain – 'ta mynd i fyny i'r brifddinas sy'n gywir deudwch – i ganfasio pob Aelod Seneddol a oedd yn cynrychioli gogledd Cymru a gwrthbrofi'r honiadau. Roedd rhai'n fwy cefnogol na'i gilydd.

Roedd Elfyn Llwyd gant y cant tu ôl i ni. Y cyfnod cyn Nadolig 1997 oedd hi, ac roedd parti Siôn Corn mawr yn seler Tŷ'r Cyffredin. Wrth gerdded gyda Betty Williams, fy Aelod Seneddol i dros Gonwy, yn un o'r coridorau deuthum wyneb yn wyneb â Cherie Blair. Llongyfarchodd Betty wraig y Prif Weinidog ar lwyddiant ysgubol ei gŵr yn yr etholiad cyffredinol diweddar, cyn troi ataf fi a dweud wrth Mrs Blair: '*... and this is Elfyn Llwyd*'.

'*No, no,*' meddwn, '*I'm Elfyn Williams.*'

Cardiau adnabod y National Crime Squad ac Awdurdod Heddlu Gogledd Cymru 1997-2001

Awdurdod y National Crime Squad. *Yn bresennol mae'r Cadeirydd, Syr John Wheeler a phobl bwysig megis Pennaeth y* Bomb Squad.

SWYDDFA'R PRIF GWNSTABL
HEDDLU GOGLEDD CYMRU
GLAN Y DON
BAE COLWYN
CONWY
LL29 8AW

CHIEF CONSTABLE'S OFFICE
NORTH WALES POLICE
GLAN Y DON
COLWYN BAY
CONWY
LL29 8AW

Ffôn: Bae Colwyn 01492 511080
Ffacs: Bae Colwyn 01492 513248

Telephone: Colwyn Bay 01492 511080
Fax: Colwyn Bay 01492 513248

MICHAEL J. ARGENT, QPM., LLB., MEd.,
Prif Gwnstabl/Chief Constable

5 September 2000

Dear Elfyn,

Much to my surprise I have been approached by a firm of 'headhunters' to see if I would be interested in applying for a part time job with PITO which becomes available after I retire. I am not over-optimistic about being successful, but have decided to give it a go anyway. The application form, which has to be returned today, requires referees. I would be most grateful if you would be willing to stand in that capacity. I have rung your house over the last few days to seek your agreement, but without success. I have therefore included your name in the hope you would not object. If you would rather not undertake this role please

PTO

www.north-wales.police.uk

let me know and I will contact the company and withdraw your name immediately.

I trust you had a good time in Italy and enjoyed Lake Garda.

Regards to Helen.

Best wishes

Mike Argent

Llythyr oddi wrth Mike Argent yn gofyn i mi am eirda

Roedd 'rhen Betty wedi cynhyrfu'n lân, ond wedyn, o glywed am ei chamgymeriad, cynigiodd Elfyn Llwyd y dylem ein dau ddechrau Cymdeithas yr Elfyniaid! Ie, meddwn wrthyf fy hun, fo yn llywydd a minnau efallai yn ysgrifennydd bach yn gwneud y gwaith i gyd!

Tra oeddwn yn y Gadair, cefais fy newis i wasanaethu ar fwrdd newydd y Gangen Troseddau Cenedlaethol yn Vauxhall Bridge Road, Llundain am bedair blynedd. Ein cadeirydd oedd Syr John Wheeler, cyn is-weinidog y blaid Geidwadol yng Ngogledd Iwerddon. Roedd yn gadeirydd gwych. Roedd pobl ddiddorol iawn yn gwasanaethu gyda mi – yn eu mysg roedd Mr Anthony Peel o Essex, disgynnydd i Syr Robert Peel, Prif Gwnstabl cyntaf Llundain; a merch o'r enw Maria Callaghan o deulu Jim Callaghan. Yr ymgynghorydd o'r Swyddfa Gartref oedd Syr John Stevens (erbyn hyn mae'n Arglwydd Stevens) – HMI ydoedd ar y pryd ond daeth yn ddiweddarach yn bennaeth ar heddlu'r Metropolitan yn Llundain. Ysgrifennais lythyr i'w longyfarch ar ei benodiad a chefais lythyr o ateb ganddo. Bu am gyfnod yn astudio'r problemau yng Ngogledd Iwerddon ac ef hefyd a ofalodd am yr ymchwiliad i farwolaeth y Dywysoges Diana. Yn 1991-96 roedd yn Brif Gwnstabl yn Northumbria – o'r holl bobl rwyf wedi sôn amdanynt yn y llyfr hwn, dyma'r dyn sydd, yn fy marn i, yn sefyll allan fel y plismon a'r dyn gorau o bell ffordd. Ysgrifennodd ei hunangofiant, *Not for the Faint-Hearted: My Life Fighting Crime*, wedi iddo ymddeol o swydd fel Pennaeth yr Heddlu Metropolitan yn 2005.

Pan oeddwn yn ymgymryd â'r swydd ar awdurdod y *National Crime Squad* rhaid oedd teithio i Lundain yn fisol, a'r rhan fwyaf o'r amser, byddwn yn aros dros nos. Mae'n gallu bod yn lle unig iawn, a phan fyddwn yn aros yn y

Regent's Palace, hyfryd oedd cael cwmni'r Arglwydd Geraint Howells. Yn ystod un ymweliad roedd Iddew, dyn bychan, yn cadw cwmni iddo. Cyflwynodd Geraint ef i mi fel ei deiliwr personol, ac yn syth, cynigiodd y dyn wneud siwt imi. Am faint, gofynnais. O, yn rhad, oedd yr ateb, £700 punt! Na, dim diolch, meddwn, ond fe brynodd beint o Guinness i mi!

Pwyllgor Awdurdod yr Heddlu yn ystod fy mlwyddyn fel cadeirydd, 1997-8

THE SERVICE AUTHORITIES
NATIONAL CRIMINAL INTELLIGENCE SERVICE
NATIONAL CRIME SQUAD

PO BOX 2600, LONDON SW1V 2WG
Telephone: 020 7238 2610 Fax: 020 7238 2602

The Right Honourable Sir John Wheeler, JP, DL - *Chairman*

26th January, 2000

Councillor Elfyn Williams,
45 Albert Drive,
Deganwy,
Conway,
LL31 9RH.

Dear Elfyn,

I write on behalf of both Service Authorities, with warmest wishes from all of your friends and colleagues here. We were very disturbed to hear of your illness last week, but delighted to learn that you had taken the trouble to phone Jeganthi from your hospital bed on Monday. If I may say so I think this was typical of your generosity of spirit and of the commitment you bring to your work here.

Whilst you were sorely missed on Monday, we were all relieved to learn that you are on the mend. We look forward to seeing you again in March.

With every good wish,

Yours ever,

John.

D:\AGENDAS\ncs\authority\24100\elfyn26100.doc

Cefais drawiad ar y galon yn Ionawr 2000 a derbyniais nifer o lythyrau gan bwysigion yn dymuno'n dda i mi. Mae'r uchod gan Syr John Wheeler, a derbyniais gyfarchion yn ogystal gan Brif Gwnstabl Cynorthwyol Ardal y Gogledd, David Wakenshaw a Trevor Nash, un o gyfarwyddwyr y National Crime Squad.

PENNOD 12

YMDDEOL A THEITHIO

Ar 10fed Mehefin, 2005, daeth diwedd ar fy mywyd cyhoeddus. Roeddwn yn 70 oed – roedd hi'n amser i fynd, ac roedd Helen, fy ngwraig, yn dioddef o glefyd Parkinsons.

Cefais foddhad mawr wedi ymddeol o hel atgofion am y bobl ddifyr y cefais y pleser o'u cyfarfod dros y blynyddoedd – a chael llofnodion cyfran helaeth ohonynt yn llyfr lloffion Lisa! Roeddwn yn falch iawn o gael llofnod Gwenlyn Parry gan ei fod yn dod o'r un pentref â Helen – mae ei thad, Tom Pêr, yn cael ei enwi yn Y Tŵr! Cefais hyd yn oed gyfarfod rhai o sêr mawr y ffilmiau – fe soniaf am un neu ddau ohonynt.

Flwyddyn ar ôl priodi yn 1958 aethom i Lundain ar wyliau. Pan oeddem yn y Theatr Newydd yn gwylio *Cider with Rosie* daeth rhyw eneth dal, smart gyda gwallt melyn i eistedd wrth fy ochr. Roedd hi'n cael trafferth gweld y llwyfan, a chynigais symud i fyny rai seddau. Plygodd y dyn a oedd gyda hi ymlaen i ddiolch i mi, a chefais sioc o weld mai Orson Welles, yr actor adnabyddus, ydoedd. Yn ystod yr egwyl cawsom sgwrs, ac ar ôl iddo ddeall ein bod yn dod o ogledd Cymru dywedodd ei fod, bob tro yr oedd yn teithio i Ddulyn, yn stopio ym Mangor ac aros yng ngwesty'r *Waverley* dros y ffordd i'r orsaf drenau. Roedd yn hoffi pobl Cymru, ac roedd yn y theatr i wylio ei gyfaill, Stanley Baker, oedd yn actio yn y ddrama.

Yn 1966 aethom ar wyliau i ynys Capri, a chan fod y gwesty'n orlawn, gofynnwyd i ni symud i ryw *villa* gerllaw. Roedd un cwpl arall yn aros yno hefyd, a dychmygwch fy syndod pan ddaethant i lawr i frecwast – James Mason a'i wraig oeddynt! Cawsom sgwrs gydag ef bob amser brecwast, a dywedodd fod Margaret Lockwood, a fu'n actio gyda Mason mewn pedair ffilm, wedi treulio'r rhan fwyaf o'r Ail Ryfel Byd mewn byngalo ym Mae Cinmel, Y Rhyl! Roedd ei gŵr yn y fyddin ac yn gwasanaethu yng ngwersyll y milwyr yng Nghinmel gerllaw.

'Finlandia' yw fy hoff emyn – a chefais y fraint o gyfarfod Lewis Valentine un tro. Ysgrifennodd yn llyfr lloffion fy merch:

> Pan fydd Lisa yn bum blwydd oed,
> Ni fydd dail ar gangau'r coed,
> Ond blodau hyfryd yn ddi-ri,
> Fo'n disgleirio ei bywyd hi.
>
> Lewis Valentine 9.xi.1974.

Er na chefais gyfarfod â Sibelius, rydwyf yn falch iawn o gael ail-adrodd y stori nesaf yma.

Yn 1962 roeddem yn aros mewn *pension* yn Barcelona, Sbaen. Yn yr ystafell nesaf atom roedd merch o'r enw Lisa Ittenen oedd yn dod o Helsinki yn y Ffindir, a daeth ein Lisa ni'n gyfeillgar â hi. Yn dilyn y cyfarfyddiad cyntaf hwn, bu'r ddau deulu'n cyfarfod yn rheolaidd ar wyliau yng Nghymru a'r Ffindir. Yn 1974 ein tro ni oedd mynd i'r Ffindir. Roedd cyfaill i'r teulu yn aelod o'r Seiri Rhyddion, ac un noson cefais fynd gydag ef i'r Lodge, i lawr i ryw seler dywyll o dan yr hen Ysgol Ramadeg. Ar ôl agor y cloeon ar y drws, beth welais yn yr ystafell ond piano o bren collen Ffrengig – piano a oedd yn perthyn i'r cerddor Sibelius. Arni, o dan haen o wydr, roedd copi o'i dôn adnabyddus, 'Finlandia', yn ei lawysgrifen ef ei hun. Roedd tad Lisa Ittenen yn gyfaill i Sibelius ac i'r Arlywydd Kekkonen – roeddent yn focswyr amatur, ac roedd y ferch yn cofio eistedd ar lin y cyfansoddwr pan oedd yn blentyn. Buom yn Hämeenlinna lle ganwyd y cerddor a gweld y gofeb iddo yn Helsinki –

pibellau organ mewn gardd a cherflun metel o'i ben ar graig.

Mae'r gymhariaeth rhwng Sibelius a Lewis Valentine yn syfrdanol: y ddau yn ddynion tal ymhell dros chwe throedfedd; y ddau yn marw yn 92 mlwydd oed; y ddau yn wladgarwyr brwd. Roeddent yn debyg yn gorfforol hefyd: y ddau wedi moeli. Cafodd Sibelius bob anrhydedd bosib gan ei wlad ond roedd Valentine wedi marw cyn derbyn doethuriaeth gan Brifysgol Cymru.

Gofynnwyd i Valentine pam y bu iddo ddewis y dôn 'Finlandia' i gyfansoddi geiriau iddi, ac meddai: 'Ond 'toedd Sibelius yn canu i'w wlad hefyd.' Daeth geiriau'r dôn iddo mewn bore. Wel, wrth gwrs, dyma fy hoff emyn. Cefais gopi o'i anerchiad i etholwyr Sir Gaernarfon ym Mai 1929 a'i lofnod ei hun arni, gan aelod o deulu Valentine i gofio amdano.

Hyd yn oed wedi i ni roi'r gorau i gyfarfod â Lisa Ittenen a'i theulu, byddwn yn cael cerdyn Nadolig ganddi bob blwyddyn. Ond ni ddaeth cerdyn y Nadolig diwethaf – cefais wybod yn ddiweddar gan ei theulu ei bod wedi marw ddiwedd Ebrill, 2011.

Digwyddodd rhywbeth arall diddorol yn ystod yr ymweliad hwnnw â'r Ffindir. Un prynhawn roeddem yn eistedd mewn parc pan aeth fy merch i chwarae gyda rhyw hogan fach arall gerllaw. Roedd tad y ferch wedi prynu hufen iâ i Lisa, ac wedi i mi fynd draw i ddiolch iddo, dechreuom sgwrsio. Roedd newydd gael ei benodi'n llysgennad i'r wlad o Iwgoslafia, a chawsom wahoddiad i'w swyddfa a'i fflat oedd gerllaw i gael te. Gwnaethom drefniant i fynd y noson ganlynol i wylio gêm bêl-droed y Ffindir yn erbyn yr Almaen, a rhoddodd ei gerdyn i mi; ond ffoniodd ymhen sbel i ddweud na fyddai'n gallu ein cyfarfod wedi'r cyfan.

Ar ôl dod adref dangosais y cerdyn i aelod o MI5, ac ychydig yn ddiweddarach cefais wybod mai ysbïwr oedd o, a oedd wedi ei wahardd o Lundain rhyw flwyddyn ynghynt. Mae'n amlwg ei fod wedi gwneud ymholiadau ynglŷn â mi cyn y gêm bêl-droed, ac wedi cael cyngor gan ei adran ddiogelwch i beidio fy nghyfarfod eto!

Hyd yn oed cyn i mi ymddeol, roeddwn i a Helen wrth ein boddau yn teithio. Roedd un wlad arbennig yn ein denu, sef Unol Daleithiau America, a hynny am sawl rheswm.

Roedd gan Tom Peris, tad Helen, frawd yn hŷn nag ef, Evan, a aeth i'r Unol Daleithiau yn ddyn ifanc yn 1904. Gadawodd ei gariad, Blodwen, yma yng Nghymru. Roedd yn awyddus iddi ei ddilyn i'r wlad bell, ond ni chafodd fynd gan ei mam! Priododd Evan yn America â Chymraes a'i theulu yn wreiddiol o'r Groeslon, Sir Gaernarfon, o'r enw Anne. Ganed tri phlentyn iddynt, a'r cyntaf yn eneth. Beth oedd ei henw? Ie, Blodwen. Gwenlyn oedd enw un o'r bechgyn.

Lisa, Angharad a Tomi ar wyliau yn 2011. Mae Lisa erbyn hyn yn athrawes deithiol, yn dysgu plant ysgolion Conwy i chwarae'r delyn. Mae ei dyled yn fawr i Mrs Mari Roberts, Cyffordd Llandudno (chwaer i'r cyn-Archdderwydd Gwyndaf) am ei dysgu. Derbyniodd Mari Roberts Fedal Syr T. H. Parry-Williams yn 1996 am ei gwaith diflino yn ei chymuned.

Priododd Anne, merch iddynt, gyda Pennsylvania Dutch, Almaenwr o'r enw Clare Snultz (a oedd wedi newid ei enw i Smith) a byw gydag ef mewn gwesty, y *Fireline*, yn Palmerton, Pennsylvania. Roedd plant Anne a Clare, y pedwar a'u henwau yn dechrau gydag R: Ralph, Roger (a oedd 'run ffunud â Tom Pêr), Roland a Ruthann. Tua dechrau'r saith degau cyrhaeddodd llythyr i gyfeiriad Tom Peris gan Ruthann, a oedd ar y pryd yn ddisgybl ysgol uwchradd, yn gofyn a fuasai yn anfon copi o'r goeden deuluol iddi gan ei bod yn ymchwilio i'w hachau fel rhan o brosiect ysgol. Gan fod Tom Peris wedi marw ers 1961 gwnaeth y brawd ieuengaf, Harri Ivor, y goeden. Nid oedd yn teimlo'n gyfforddus yn ysgrifennu i ferch un ar bymtheg oed, felly gofynnodd a fuasai Helen yn ei anfon iddi. Dyma oedd dechrau'r cyfathrebu rhyngom â'r teulu yn yr Amerig – roedd rhyw ffrae neu'i gilydd wedi bod yn y teulu, a neb wedi siarad cyn hynny ers dros ddeng mlynedd ar hugain.

Yn 1976, adeg dau ganmlwyddiant yr Unol Daleithiau, cawsom wahoddiad i briodas Ruthann ym Mhennsylvania, a heb yn wybod i Helen, archebais docynnau awyren o Fanceinion i Efrog Newydd! Trefnais gydag Ysgol Glanwydden iddi gael dau ddiwrnod yn ychwanegol at ei gwyliau er mwyn bod yno dros y briodas. Wedi hyn bu rhyw dawelwch rhyfedd rhyngom ag America. Dair wythnos cyn y dyddiad, cawsom lythyr yn ein hysbysu nad oedd y briodas i fod – roedd pob dim wedi'i ddileu. Doedd dim i'w wneud ond parhau gyda'r daith beth bynnag.

Pan gyrhaeddom faes awyr Kennedy, Efrog Newydd, roedd Ann a Clare yn dod i lawr yr *escalator*, a Helen a Lisa yn mynd i fyny. Bu iddynt adnabod ein gilydd yn syth, er nad oedd y ddwy gyfnither erioed wedi gweld ei gilydd o'r blaen. Daethom i ddeall eu bod yn deulu cyfoethog iawn, ac wedi gwneud eu harian drwy wneud *french fries* mewn ffordd ryfeddol o lwyddiannus. Roedd ganddynt gar fel eroplên a dreifar a elwid yn *Big Al the Kids' Pal*; aelod o'r CIA wedi ymddeol oedd o, medda fo. Nid oeddynt yn hapus iawn yn gyrru i mewn i Efrog Newydd a dyma'r tro olaf iddynt ein cyfarfod yn Kennedy.

Dyma ddechrau ein teithiau, dros ddeg i gyd, i'r America. Un o'r pethau cyntaf ddywedodd Clare wrthym oedd ei fod wedi cadw arian ar gyfer y briodas a'i fod am wario'r arian arnom ni!

Wedi gyrru am bron i dair awr, cyrhaeddodd y car mawr westy Fireline, yn Palmerton. Tu ôl i'r adeilad roedd sied enfawr gyda baner y Ddraig Goch yn chwifio uwchben – dyma'r ffatri sglodion – a thu allan roedd pedair o garafanau yn barod i gario'r bwyd i sioeau sirol o amgylch Pennsylvania a thu hwnt.

Roedd y bar yn y gwesty yn debyg iawn i'r rhai a welir mewn ffilmiau cowbois. Rwy'n cofio dadl ynghylch pwy oedd y cantorion gorau, a minnau, wedi cael peint neu ddau, yn cymryd ochr y Cymry. Pasiodd y pwyllgor teuluol fy mod yn cael fy chwistrellu o dun a llun tarw arno. Ie, oglau baw tarw ddaeth allan o'r tun, ac ar fy nillad. Pan es i'r gwely, doedd Helen ddim yn hapus iawn fy mod yn drewi fel buarth fferm!

Ar ôl rhyw bedwar diwrnod dyma Clare ac Ann yn datgan ein bod yn mynd ar daith. Gyda Big Al wrth y llyw, aethom i'r brifddinas, Washington; ac wedi cysgu mewn gwesty moethus tu allan i'r dref, ciwio i fynd i mewn i'r Tŷ Gwyn. Gofynnodd dynes y tu ôl i ni a oeddem yn siarad Cymraeg – geneth ar wyliau o Batagonia oedd hi, ac nid oedd yn siarad Saesneg. Cawsom weld swyddfeydd Watergate, a phan gyraeddasom y Pentagon, dywedodd Big Al y buasai o'n gallu ein cael i mewn i'r adeilad heb ddim trwbl. Gan ein gadael yn y car, aeth i fyny at y dyn mawr tew du a oedd yn gwarchod y drws a dangos ei gerdyn (yn ôl Big Al roedd wedi gweithio yno gyda'r CIA). Ond cawsom siom oherwydd roedd ei *security pass* wedi peidio â bod yn ddilys, ac ni chawsom fynediad i'r adeilad.

Allwn i ddim gadael Washington heb ymweld â Mynwent Genedlaethol Arlington. Yma, wrth gwrs, mae beddau'r brodyr John Fitzgerald Kennedy, 35ain Arlywydd yr Unol Daleithiau (sydd â fflam barhaol arno), a'i frawd Bobby Kennedy lle rhoddir rhosyn gwyn newydd yn ddyddiol. Heb yn wybod i mi ar y pryd mae cefnder cyfan imi wedi ei gladdu yno hefyd, sef Lt. Col. Robert W. Gray. Bu farw ar 14 Mawrth, 1975 a'i gladdu yn sector 39, bedd rhif 1259. Mae ei wraig, Lyle Moore Gray a fu farw 2 Mawrth, 1978 wedi ei chladdu yn Rosewood Memorial Park Masonic, Virginia Beach. Caf adrodd eu hanes difyr yn llawn yn nes ymlaen.

Cawsom daith anhygoel – gan orffen yng Ngholeg William a Mary yn Williamsburg er mwyn cael gweld yr ystafell lle bu Goronwy Owen o Fôn (1723-1769) yn dysgu – mae'n cael ei gofio yno fel *Master of the Grammar School* a bu'n Athro yn adran Ddyniaethau'r Coleg rhwng 1758 a1760. Mae awdurdodau'r Coleg yn parhau i'w goffau bob blwyddyn ar ddydd Gŵyl Dewi.

Yn ystod yr un cyfnod roedd y diweddar Athro Bedwyr Lewis Jones yn ysgrifennu erthyglau yn *Y Cymro* am Goronwy Owen o Fôn, ac anfonais gerdyn iddo o Goleg William a Mary, Williamsburg. Do, fe gawsom amser diddorol yn Washington, ac ar ôl cyrraedd yn ôl i Palmerton, ysgrifennodd Big Al yn llyfr lloffion Lisa;

> *'June 1976. Dear Lisa, It's been swell getting to know you. Please no more cigar smoking* [roedd hi yn rhoi ei bawd yn ei cheg weithiau pan fyddai wedi blino!], *Al Reknig (Big Al – the kiddies pal), Leighton, Pennsylvania.'*

Yn ystod un arall o'n deng ymweliad ag America, gwelsom

ryw gynnwrf wrth basio rhyw *garage* ar ochr ffordd. Wedi i ni stopio, gwelais mai agoriad swyddogol y lle oedd yn mynd ymlaen – a phwy oedd yn agor y lle ond prif bencampwr bocsio pwysau trwm y byd, Larry Holmes. Cefais ei lofnod a'i lun, ond doedd ganddo ddim clem lle'r oedd Cymru. Roedd yn edrych yn weddol gyffredin wrth eistedd i lawr yn llofnodi pamffledi, ond pan safodd i fyny roedd fel cawr.

Dros y blynyddoedd, cafodd Helen a minnau gyfle i ymweld â nifer o ffrindiau a theulu yn yr Unol Daleithiau. Mae gennyf ffrind da yn byw yn Easton, Pennsylvania, o'r enw John Prytherch, peiriannydd metel wrth ei alwedigaeth, ond a aned yn Penchwintan, Bangor. Cafodd ei addysg yn Ysgol Central (Deiniol) a chyn y rhyfel ymunodd â'r Llu Awyr. Mae hiraeth yn ei lethu nawr ei fod yn rhy wael i deithio yn ôl i Gymru. Bob pythefnos mae'n fy ffonio, a rhaid i mi ganu 'Unwaith eto 'Nghymru annwyl' iddo. Er nad oes gennyf lais i ganu mae'r hen John yn crio ar y ffôn. Mae bob amser yn gorffen yr alwad gan ddweud: *'You've made my day'*. Mae hogia'r *Central School* yn aros gyda'i gilydd – os mêts, mêts go iawn.

Rwy'n ymwybodol iawn fod straeon gwyliau pobl eraill yn ddiflas, ond rhaid gorffen y bennod yma gydag un stori arall. Yn 1988 aethom i Efrog Newydd, ac aros mewn fflat yn y ddinas gyda ffrindiau – ef yn Eidalwr Americanaidd, a hithau'n ferch o Lerpwl gyda chysylltiad â'm teulu i o'r Felinheli. Digwydd sôn wrtho wnes i fod gan fy mam chwaer yn byw yn Jackman yn nhalaith Maine o'r enw Nellie Wilson, ac nad oedd neb wedi ei gweld ers iddi adael y Felin yn 1912.

Aeth fy nghyfaill i chwilio am ei henw yn y llyfr ffôn ac mewn chwinciad roedd wedi cael rhif ffôn iddi. Penderfynais alw'r rhif yn y fan a'r lle, a dyma Nell yn ateb. Fy llais i oedd y llais cyntaf o Gymru yr oedd wedi ei glywed ers 1912, a dechreuodd ganu 'Iesu tirion, gwêl yn awr, blentyn bach yn plygu i lawr...'. Rhoddodd rif ffôn, Dale, ei merch, i ni gan ddweud ei bod yn byw'r ochr arall i'r afon Hudson yn New Jersey.

Doedd dim i'w wneud ond trefnu i ddod yn ôl i'r Amerig yn 1991, pan oedd Nell yn 95 oed, a mynd i Jackman i'w chyfarfod. Roedd cefnder i mi, y Doctor John Edward Williams o Rydaman, a oedd yn darlithio yno, wedi ei gweld o'm blaen ac yn adrodd yr hanes ei bod yn gymeriad a hanner!

Ar ôl glanio, gyrrais i fyny i Jackman, tua phedwar can milltir o Palmerton – doedd dim gwestai yno, dim ond coed a llynnoedd ar hyd y ffordd; sôn am harddwch. Roedd Nell mewn cartref henoed ac roedd yn brofiad gwefreiddiol ei gweld am y tro cyntaf. Roedd hi'n llawn hiwmor ac mewn iechyd go dda. Mynnodd fynd â ni i weld ei thŷ, tŷ go fawr a dweud y gwir, ar ochr y briffordd oedd yn arwain i Ganada. Roedd ei chof yn glir, a gofynnodd: '*Is that Ale House still on* lan môr?' Garddfôn oedd hi'n feddwl.

Cychwynnodd Nelly ddweud ei hanes, a chefais fy synnu o glywed am ei bywyd cythryblus. Cafodd ei geni yn 1896 ond roedd fy nhaid a nain yn ddibriod, a chafodd ei magu gyda'i nain a'i thaid, Robert a Margaret Davies, ceidwad y porthladd, Tŷ Cei, Lan-y-môr, y Felinheli. Yn ferch 16 oed cafodd swydd fel nani i weinidog o Fangor a'i wraig, yn gwarchod dau o blant – roedd y tad wedi cael galwad i fugeilio eglwys yn Jackman. Er i'w rhieni wrthwynebu iddi fynd mor bell, addawodd iddynt y buasai'n dychwelyd adref ymhen dwy flynedd.

Gŵr cas a blin oedd y gweinidog a phenderfynodd Nelly eu gadael, a chafodd waith glanhau a choginio yng ngwersyll y coedwyr a'r helwyr. Bu'n hapus ei byd yno, ond cyn bo hir daeth y Rhyfel Mawr, a rhaid oedd dychwelyd adref. Roedd Nelly i fod i deithio'n ôl gyda'r gweinidog (roedd ei wraig yn chwaer i fy hen nain), ond wedi cyrraedd y porthladd yn

Boston, cafwyd nad oedd ei phapurau hi wedi cyrraedd mewn pryd. Hon oedd y llong olaf i gario teithwyr cyn y Rhyfel felly gadawyd Nell ar ôl.

Aeth fy nhaid, ei thad hi, i Lerpwl i gyfarfod y llong a thorrodd ei galon am nad oedd Nell arni. Yn ferch ifanc ddeunaw oed, dychwelodd i'r gwersyll yn Jackman i weithio. Cyfarfu â bachgen lleol o'r enw George Gray a phriododd y ddau yn 1918 pan oedd yn ddwy ar hugain oed. Ganwyd bachgen bach iddynt, Robert – ef oedd y Lt. Col. Robert W. Gray a gladdwyd ym medd 1259 Sector 39 ym mynwent genedlaethol Arlington yn Washington. Daeth trychineb i fywyd Nell – lladdwyd ei gŵr wrth ei waith mewn melin goed cyn i'r baban fod yn flwydd oed ac er mwyn cynnal ei phlentyn gorfu iddi fynd yn ôl i weithio. Cymerodd teulu ei diweddar ŵr ei phlentyn oddi arni i'w fagu.

Ymhen rhyw bedair blynedd priododd am yr eilwaith â dyn o'r enw Shelley o deulu cefnog, yr un teulu â'r bardd enwog. Ganwyd iddynt ferch, Mildred Dale.

Ymhen amser blinodd Shelley ar gaethiwed priodas – roedd â'i fryd ar deithio ac roedd am fynd draw i Galiffornia. Gwrthododd Nell fynd gydag ef oherwydd y buasai'n colli gweld Robert Gray, ei mab a oedd yn cael ei fagu gyda'i nain a'i daid. Arhosodd yn y cartref yn Jackman, ac ni symudodd oddi yno erioed. Byddai Shelley yn mynd a dod ac wedi un ymweliad cafodd ei hun yn feichiog, a ganed mab iddi, Steven. Gwelwyd fod ganddo hollt yn ei geg, ac ni welodd ei gŵr wedi hynny – cafodd ddamwain a bu farw.

Cafodd Mildred ei magu yn New Jersey gan fodryb gyfoethog i Shelley, a chafodd yr addysg gorau bosib. Roedd y teulu yma eisiau mabwysiadu Steven hefyd, ond gwrthododd Nell, oherwydd ei bod eisoes wedi colli dau o'i phlant. Yn lwcus iddi hi, roedd gŵr gweddw parchus, crefyddol, yn chwilio am wraig i edrych ar ei ôl. Priododd Nell a rhoi cartref iddi hi a'r plentyn. Bu'n dad da i Steven ac yn ŵr caredig am bron i ddeugain mlynedd. Bu farw yn 1971 yn 95 oed.

Yn 1972 daeth trychineb arall i ran Nelly druan. Cafodd Steven ei losgi mewn caban yng ngwaelod yr ardd tra'r oedd hi allan yng nghymdeithas yr henoed, a bu farw.

Yn angladd Robert Gray yn 1975 yn Arlington roedd ceffyl du yn cario ei gap a'i fedalau. Dim ond chwe pherson oedd yn dilyn yr arch. Oherwydd henaint ac anhwylder a phellter ni fedrai ei fam fod yno.

Un siop fawr oedd yn Jackman, ac roedd y perchennog eisiau gwybod pam yr oeddem yn ymweld â'r lle.

'*Oh, Nellie,*' meddai, '*You must be very proud being related to old Nellie. She's been through such a lot of adversity, yet she always manages to look on the bright side of life.*'

Trist oedd ei gadael, ond addewais ddod yn ôl, a chefais fynd yn 1995, pan oedd Nell yn 99 oed. Roedd balchder yn ei llygaid wrth iddi agor telegram gan Bill Clinton (yno, nid ar y 100fed pen-blwydd y'i derbynnir, ond ar y pen-blwydd yn 99 oed), ac arno roedd y geiriau '*Go for it Nell*'.

Y flwyddyn ganlynol cafodd ddathlu ei phen-blwydd yn gant, a dywedai'n aml: '*I'm going up there,*' a chodi ei bys i'r awyr. '*I'll be ready to go, because I'm a born again Chrsitian!*'.

Ac yn wir, rhyw bedwar mis ar ôl ei phen-blwydd yn gant fe fu farw'r hen Nell. Rwy'n ddiolchgar fy mod wedi cael ei chyfarfod – roedd yn brofiad anhygoel. Cawsom fel teulu amseroedd gwych i lawr yn Virginia Beach gyda Dale a'i gŵr Richard. Roedd eu cartref reit o dan dwnel-bont Bae Chesapeake – mae'n ymestyn 23 milltir i'r môr gyda dau dwnnel o dan y dŵr i gysylltu Virgina â Maryland a Delaware – tŷ oedd wedi ei adael iddi gan ei brawd, Lt. Col. Robert Gray.

Erbyn hyn, mae dyddiau teithio'r byd wedi hen basio, ac rydw i'n fodlon fy myd fel aelod o Glwb Golff Maesdu, ac yn mwynhau chwarae snwcer yn gyson. Wrth edrych yn ôl ar fy ngyrfa, yr un peth sy'n rhoi boddhad mawr i mi yw meddwl am y ffrindiau hynny y bu i mi eu cyfarfod ar y daith. Cefais y pleser o gydweithio gyda nifer o gymeriadau difyr, a byddai eu hanes yn llenwi llyfrau go helaeth.

Mae un cyn-heddwas, i mi, yn sefyll allan, sef tad i Dafydd Nicholas a fu gyda mi ar ddiwrnod agor Llyn Celyn, Tryweryn. Ei enw oedd Rees Nicholas, a chafodd ei eni yng Ngheinewydd, Ceredigion, ddechrau'r ganrif ddiwethaf. Roedd wedi gwasanaethu ym mhentref Bethel cyn dod lawr i'r Felinheli, lle daeth yn ffrindiau gyda chymeriad o'r enw Will Butch. Roedd Nicholas yn cael ei alw i Gaernarfon yn aml er mwyn ceisio dal y potsiars oedd yn dwyn ffesantod o dir y Faenol. Ar ôl cyfnod penodol, a'r ffesantod yn dal i fynd ar goll, symudwyd Nicholas gan y Prif Gwnstabl i swyddfa gosb Penmachno. Drwy ryw ryfedd wyrth fe stopiodd y ffesantod ddiflannu.

Un diwrnod aeth i Fetws-y-coed a galwodd yng ngwesty'r Gwydir. Dywedodd y perchennog wrtho fod Swyddog Archwilio ei Mawrhydi yn aros yn y gwesty – roeddent yn dod yn flynyddol i archwilio'r Heddlu, ac yn gwneud hynny i bob adran yn ei thro. Pan ddeuent, byddai'n rhaid i bob heddwas ymddangos yn ei iwnifform orau, gyda'i lawlyfr wedi'i lenwi yn gyflawn.

Gofynnodd PC Nicholas lle'r oedd y bonheddwr, a'r ateb oedd ei fod o dan bont Waterloo yn pysgota'r afon Conwy. Aeth Prif Gwnstabl Penmachno draw ac ar ôl galw arno o ben y bont, a rhoi'r saliwt perffaith, gofynnodd a oedd wedi dal rhywbeth. Roedd y Swyddog Archwilio wedi synnu fod Nicholas wedi ei adnabod (er, doedd hi ddim yn anodd, gan mai hen brif gwnstabliaid siroedd eraill wedi ymddeol oedd y Swyddogion i gyd).

'Wel,' meddai'r bonheddwr, 'deg allan o ddeg am fod yn sylwgar.'

Lisa, Helen a finna yn 2007

Gofynnodd i ba Ddrill Hall yr oedd Nicholas i fod i fynd ar gyfer ei archwiliad y diwrnod canlynol. Conwy oedd yr ateb.

'Wel,' meddai, 'am eich bod wedi bod mor smart yn fy adnabod, gewch chi ddiwrnod rhydd fory. Does dim rhaid i chi droi i fyny i'r archwiliad!'

Gorffennodd Rees Nicholas ei yrfa ym Methesda, ac mae llawer o hanesion doniol amdano yn y dref honno. Un stori oedd ei fod wedi derbyn gwybodaeth bod rhai o'r chwarelwyr yn mynd i'r Caban yn Chwarel y Penrhyn ar brynhawniau Sul i chwarae cardiau am arian. Yn y cyfnod hwnnw roedd hynny'n anghyfreithlon. Aeth Nicholas i mewn i'r Caban ar ôl i swm go lew o arian gael ei osod ar y bwrdd. Dywedodd un o'r gamblwyr, hen wag o foi, mai casglu arian oeddent at yr Ysgol Sul. Da iawn, meddai'r heddwas cyfrwys, a thynnu ei helmed a rhoi'r arian ynddi. 'Mi af â nhw rŵan i Arolygwr yr Ysgol Sul.'

Angharad (10) a Tomi (7) gyda'u taid balch

Fel y dywedais, Rees Nicholas oedd tad fy nghyfaill, Dafydd Nicholas, a ymddeolodd o Heddlu Gogledd Cymru fel Uwch-Arolygwr, ychydig amser ar ôl i mi ymddeol. Mae wedi bod yn gefn cyson i mi; rwyf yn cael pryd o fwyd yn ei gartref yn aml, a mawr yw fy nyled iddo a'i wraig.

Bu Helen farw ar 25 Chwefror, 2008. Buom yn briod am hanner can mlynedd a chwe mis, felly teimlaf fod cerdd R. S. Thomas, '*Marriage*', yn addas iawn i ddisgrifio fy anwylyd. Claddwyd hi ym mynwent Llanfair-is-gaer, yn ôl ei dymuniad. Heddwch i'w llwch yn y llan.